# 旅屋おかえり

原田マハ



集英社文庫

# 旅屋おかえり

# 1

気がつくと、今日もまた旅をしている。

旅が好きだ。「移動」が好きなのだ。移動している私は、なんだかとてもなごんでいる。頭も心もからっぽで、心地よい風が吹き抜けていく。

十代の頃から「移動が好きだ」と公言してやまなかったら、いつのまにか旅することが仕事になっていた。

いままで、ずいぶんいろんなところへ行った。日本国内、ほぼ全都道府県制覇したと思う。県庁所在地は当然行き尽くして、いまはもっとローカルな、小さな町や村を重点的に回っている。

などと言えば、人は私がジャーナリストとかツアーコンダクターをやっていると思うだろう。ところが、違うのだ。

私の職業はタレント。旅するタレントだ。

旅とご当地グルメがテーマの旅番組を、レギュラーで持っている。レギュラーはその一本きり。だけど、大好きなことが仕事になっている事実を思い出すたび、どこかにいる神さまに感謝したい気分になる。

最近は「職業・旅人」と自称したほうがいいかもしれない、などと本気で思ったりする。

「タレント」と呼ばれることには最初から違和感を覚えていた。本当は、「アーティスト」とか「女優」と呼ばれたかったのに、最初から「タレント」。「アイドル」って呼ばれた時期もあった。デビュー直後の、ごく短いあいだだったけど。

カラオケに行けばポップスでも演歌でも難なく歌って友人たちをうならせたし、小中学生時代は文化祭の芝居でいつも主役を張っていた。おばあちゃんは「お前は町いちばんの器量よし」と、いつも絶賛してくれていた。アーティストにだって女優にだってなれる素質はあったはずだ。でもなんでだろう、最初から「タレント」。七、八年まえからは「元アイドルのタレント」。二、三年まえからは「売れないタレント」。

これじゃ、「旅人」って自称したほうがよっぽどましだ。

そう思って、予告なしにカメラリハーサルで名乗ってみた。

「こんにちは。『旅人・おかえり』こと、丘《おか》えりかです。今日ご案内するのは、ここ……」

「カ――――ット！」

とたんに、ディレクターの市川《いちかわ》さんが声を張り上げた。

「だめだめだめ！　なんだよもう、『旅人・おかえり』って。そんなセリフ、台本にないじゃないの」

私の右横にヘアメイクのみっちゃんが、左横にスタイリストのミミちゃんが飛んでくる。わずかな時間を惜しんで、この頼もしい女子たちは顔のファンデーションのヨレを補修したり、ジャケットの襟の歪《ゆが》みを直したりしてくれる。みっちゃんミミちゃんにいじられているときは、「この業界で仕事しててよかった」と思うひとときだ。テレビに映るってことは、見違えるほどきれいに「作って」もらえる、ってことでもある。十代や二十代のときは、無理に塗りこんだり着飾ったりしなくてもじゅうぶんイケてたけど、三十をふたつも超えると、こうしてあちこちいじってきれいにしてもらえるだけで女の本能が喜ぶってもんだ。

「すいませーん。ノリで言ってみようかなー、なんて」

小鼻の毛穴を念入りにファンデで隠してもらっていたので、鼻の下を伸ばして私は応えた。ぶっと噴き出す声がする。ファインダーをのぞいたままで、カメラマンの安藤《あんどう》さんがこらえきれないように笑っている。

「いいね丘ちゃん、その顔。このまま回してたほうが数字取れそうだけど」

数字が取れそう、とは業界用語で「視聴率が稼げる」という意味だ。テレビの世界では、「数字が取れる」は最強の殺し文句《キラーワード》になっている。各番組にはスポンサー各社がついている。高い視聴率が取れれば、安定してスポンサーを確保でき、高いスポンサー料をいただける。出演タレントのギャラも上がり、スタッフも経費も充実する。数字が取れさえすればいいことづくしなのだ。が、だからと言って、鼻の下を伸ばした顔をアップで撮られるのはごめんだ。

「あ、それいいかもしれませんね」と、安藤さんにお追従《ついしょう》するのはＡＤ《アシスタントディレクター》の奥村《おくむら》君だ。

「いいからお前は黙ってろっ」市川さんが悲惨な声を出した。「あと何分だ。電車が来るまで」

「えーと、三十秒……じゃなくて、やばっ。二十秒です」

「ぐあっ」市川さんはさらに悲惨なうなり声を上げた。中腰でモニターをのぞきこみ、叫ぶ。

「早くスタンバれ。順太《じゅんた》、入ってくる電車の顔からおかえりにパンだぞ。丘ちゃん、こっち向いて立って。いいか、来たぞ、来た来た。弘南《こうなん》鉄道、いいねいいね、どローカル、鉄萌え。三、二、一……」

こんにちは。「おかえり」こと、丘えりかです。

今日はここ、弘前駅《ひろさき》から弘南鉄道に乗って、青森県黒石市《くろいし》を「ちょびっ旅」してみようと思います。

ねえ皆さん、黒石ってどんな町か知ってる？　いま、最高にあつあつホットな焼きそばの町なんですよ。それも、ただもんじゃない焼きそば。それはね、な〜んと、つゆ焼きそば、なんです。

信じられる？　そばつゆの中に焼きそばが入ってるらしいんですよ。え〜っ、それってどんな味〜⁉　おかえり、超・気になるっ！

じゃあ、これから電車に乗りま〜す。どんなグルメが待ってるのかな〜。ワクワクしちゃう。今日もちょびっとちょびっ旅、いってきま〜す。


千代田線の赤坂駅で地下鉄を降りて、地上に出る。表通りを乃木坂に向かって歩いていく。最近人気のヘルシー洋風弁当屋が一階にあるビルに入っていき、エレベーターに乗り、「3」のボタンを押す。このエレベーターは、必ず一回がくんと上下に揺れてから停まる。

正面に見える黒いスチールのドアに、「よろずやプロ」と小さなプレートが貼《は》り付けてある。ファンがみつけて入ってこないようにこのくらい地味な表札がいいんだ、と社長が言っていたことがある。そのわりには、ドアの鍵はいつもかかっていない。

ドアを勢いよく開けて、「おはようございまあす」と大声を出す。

「あら、えりかちゃん。きのう青森ロケでお泊まりじゃなかったっけ？　もう帰ってきたの？」

よろずやプロの事務及び経理担当副社長、澄川《すみかわ》のんのがスリッパをぱたぱたいわせながら玄関まで出てきた。私は苦労してブーツを足から引き抜きながら、「ゆうべ最終便で帰ってきました。経費節減で日帰りロケ」と応えた。

「あらま。それはお気の毒」のんのさんはちょっと小気味よさそうに笑みを浮かべた。

元セクシーアイドルだったのんのさんは、五十八歳の現在はセクシーを通り越して豊満な肉体を揺さぶって歩いている。そしていつもよろずやプロの唯一の所属タレントである私に惜しみない愛情と意地悪を注いでくれる。

「社長来てますか」と訊《き》くと、

「いいわねそのブーツ。本革？　クロコ？　エルメス？　まさかね」

全然聞いてない。私はこっそりため息をついた。

「合成皮革、型押しクロコですよ。新宿ルミネで九千八百円」

「あらあ、安いじゃない。キュッパチには見えないわあ。やっぱ元アイドルが履くと違って見えるもんね。ちょっと貸して、履いてみるから」

もっちりしたふくらはぎを押しこもうと奮闘を始めた。ほっといて社長室へ行く。軽くノックをしたが、返事のないのはいつものことだ。「おはようございまあす」と元気よく声を出しながらドアを開ける。

　四角いハゲ頭のてっぺんがこっちを向いている。ドアの正面にある「重役風」デスクに、何紙もの新聞が広げられている。その上におおいかぶさるようにして、よろずやプロ社長、萬鉄壁《よろずてっぺき》が鎮座している。スポーツ新聞全紙熟読、これをやってしまわないと社長の一日が始まらないのだ。

　ほんとか嘘《うそ》か知らないが、社長はかつてプロボクサーだったという。世界チャンピオンに挑んで、ボコボコにされて、その衝撃で頭のかたちが変わってしまったんだとか。そんなにすごい選手だったんならなんでボクシングジムを運営しなかったんだろう。

「社長。ちょっといいですか」

　私はハゲ頭のてっぺんに向かって語りかけた。当然、返事はない。かまわずに話し続ける。

「きのうの『ちょびっ旅』のロケ。日帰りだなんて聞いてなかったんですけど。ディレクターの市川さんは『鉄壁さんに伝えといた』って」

「ちょびっ旅」は、私の唯一のレギュラー番組だ。ディレクターの市川さん、カメラマンの安藤さん、ADの奥村君、ヘアメイクのみっちゃん、スタイリストのミミちゃん、そして私。旅芸人の一家のごときチームで日本中あちこちロケして回っている。「あけぼのテレビ」の全国ネットで、土曜の朝、お茶の間にさわやかな旅の風を送る。低予算ながら奇跡的に五年間も続いている。

「………」

「黒石でも、スケジュール詰めこみすぎで、結局じゅうぶんにつゆ焼きそばの店を回り切れなかったんですよ。せっかくのおいしいつゆ焼きそば、五分で食べなくちゃならなくて、舌やけどするかと思っちゃった。まあ、完食しましたけど。つゆも全部飲み干して」

「………」

「で、時間が巻き巻きになっちゃって、予定してた弘前のレストランにも結局行けなかったし。まあ、『奇跡のりんごあられ』だけは買って帰りましたけど。これがまた抜群で」

無言でどさりと「重役風」合成皮革の椅子にふんぞり返ってから、「何言ってんだお前は」と社長はさもあきれたように言った。

「文句を言ってんのか、感想を述べてんのか。どっちだ」

「どっちもです」私はすなおに答えた。

「結果的には、『行ってよかった』とおれには聞こえる」

「まあ、そうです」

「じゃあ、文句でも感想でもなくて、感謝してるんだな」

　思わずうなずきかけたアゴを、ぐっと止めた。

「じゃなくて。なんかもう、限界感じたんですよ。この年になっても、アイドル時代の『おかえり』なんてヘンテコな短縮ネームを自分で言わなくちゃならないなんて。『おかえり、超・気になるっ！』なんて若いコぶったって、もう無理だから」

「じゃあ本名に戻すか？　お前、本名なんつった？」

「岡林恵理子《おかばやしえりこ》ですけど」

「やっぱり『おかえり』じゃねえか」

　そう言われて、ぶすっとしてしまった。

　社長は机の引き出しからつぶれたタバコの箱を出すと、一本くわえて火をつけた。

「受動喫煙、ヤなんですけど」にくたらしいからひと言、言ってやった。社長は椅子を回転させて、壁に向かって長々と煙を吐くと、後ろ姿で「えりか」と呼びかけた。

「はい」

「お前、わかってんのか。あけぼのテレビさんとご縁が切れたら、うちはもうおしまいだ」

「…………」

「お前のタレントとしての売り時期はとっくに終わってる。十八、九のときにぼんやり売れて、あとは鳴かず飛ばず。お前だけがだめならまだしも、うちのタレントが総つぶれたあ、いったいどういうことなんだ。まあ、お前以外はさっさと故郷へ帰って『東京でアイドルやってた』ってことを売りにして、誰も彼も地元の名士へ嫁いだらしいけどな。それをなんだ、お前だけ帰りもしねえで。『ぼのテレ』が企画した旅番組の案内役におれが苦労して押しこんだからよかったものの」

「………」

「まああれだ、そのおかげでおれもこうしてこの業界で首の皮一枚、繋《つな》げたわけだあな。じゃなかったらいま頃、クニへ強制送還だ。『ちょびっ旅』一本で社員三人、なんとか生きながらえてるってんだからな、たいしたもんだ」

「あの、すいません」と壁に向かって社長が調子よくしゃべるのをさえぎった。

「何言ってるんですか。けなしてるのか、褒めてるのか。どっちですか」

「まあ、どっちもだ」と向こうを向いたままで社長が答える。

「結局『やっぱりえりかはすごい』って言ってるように私には聞こえますけど」

椅子がこっちのほうへ大きく回転したかと思うと、「馬鹿野郎っ！」と大目玉が飛んできた。

「いい気になるんじゃねえ！　たった一本のレギュラーを大切にしろって言ってんだ！

日帰りだろうがなんだろうが、文句を言わずに喜んでお勤めしやがれ！　さもなきゃお前もすぐさまクニへ強制送還だっ！」

　私はカメ並みに首をすっこめて罵声《ばせい》の一撃を受けた。社長はガラスの灰皿の中にタバコを押しつけてから、上を向いて目を閉じ、ふーっと長い息を放つ。私はちょっとずつ甲羅の中から首を出すと、

「すみません。やります。日帰りだろうがなんだろうが」

か細い声を作ってそう言った。上を向いたまま、社長は「あ」とつぶやいた。

「ひらめいた。いま、なんつうかこう、キラッときた」

「えっ。なんですか」

　ときどき社長には突拍子もない、けれどなかなかパンチの利いたアイデアがひらめく。会社が今日まで生き延びたのも、実は社長のトンデモないアイデアがそのときそのときおもしろがられたせいだった。

　去年は膝枕耳かきサロンに元アイドルを派遣する、っていうのが大ウケした。が、すでに自社タレントは私だけ。私が耳かき業務に従事したとなれば即刻ぼのテレに文句を言われるだろうということで、他のプロダクション所属の元アイドルタレントを派遣して、中間マージンを取った。そんなセコい商売で、長続きするわけなかったけど。

「お前の新しい芸名、ひらめいたぞ」

うわっ、きた。特大パンチ。私は思わず、社長がときどきそうするように、ファイティングポーズを作って身構えた。社長は目を見開いて、シブい声で言った。

「比嘉《ひが》えりか。略して『ひがえり』」

思わずハゲ頭にパンチをお見舞いしそうになった。


私の故郷は、北海道の、人が住む最北端の小さな島、礼文《れぶん》島。

そして、私の実家は、その最北端・スコトン岬にほど近い場所、通称「名もない丘」にある、突風に震えて建つ一軒家。漁師の父、コンブ加工工場のパート職員の祖母と母、私とふたつ下の弟、恵太《けいた》の五人が、小さな家に肩を寄せ合うようにして暮らしていた。

礼文島といえば、ウニの名産地として知られているが、そのウニは島の数少ない特産品。とろけるように甘いウニを私たちきょうだいが口にできるのは、年にたった二回、お互いの誕生日のときだけ。私たちは、そんなふうにささやかな家族だった。

いつの頃からだろうか、私には夢があった。この小さな島を出て、できるだけ遠くまで移動すること。海鳥のように、アザラシのように。

島内での移動距離はごく限られていたし、その速度はあくびが出るくらいゆっくりだった。電車も高速道路もない島なのだから。

子供の私は、海鳥を眺めてはどれほどの距離を飛んできたのか想像を巡らせ、アザラシを見かければどんなに遠くから潮流に乗ってやってきたのか空想した。海鳥でもアザラシでもない自分がつまらなかった。

島民全員が知り合いと言ってもいいくらいの、小さな集落の小さな暮らし。それがどんなに心地いいものなのか、島を出たことのない私は知りようもなかった。

どれほど広い世界がこの島の外に広がっているんだろう。岬や港に佇《たたず》んでは、想像を巡らせた。

「ねえ父《とう》さん、海ってさ、どんくらい広いの？」

漁から帰ってきた父をつかまえては、弟と競い合うようにしてその背中に抱きついて尋ねたものだ。にぎやかな性質《たち》の島の漁師たちの中にあって、父は珍しくおだやかな人だった。父の背中は大きくて、潮の香りがした。抱きつくと、自分が岩場にしがみつくヒトデになったような気分になる。父は、ごつごつした分厚い手のひらで私の頭を撫《な》でて、答えてくれた。

「そりゃ、海はとんでもなく広いぞ。父さん、十何年も漁師やってっけど、まだまだ、全部は見きれてねえんだ」

「海のあっちに行くのは、難しいの？　父さんは、行ったことあっぺ？」

「いや、それがなあ」父は、小鼻の横をぽりぽり掻《か》いて、言った。

「どこまで行っても、あっちに行き着かねえんだ。だから、父さん、あっちに行くのは、もうあきらめたっぺよ」

「ふうん。どうして？」

「こっちのほうがいいからさ。こっちには、ばあちゃんと、母《かあ》さんと、お前たちがいるからさ」

でもな。いつか、お前は、海のあっちを目指していけばいい。この広い海を越えていく、その日が、いつかきっと来る。

そう言って、父は笑った。

父の言葉に、子供の私は、ちょっと怖いような、わくわくするような、不思議な気持ちに胸が詰まった。

「海のあっち」の世界。いったい、どんな世界なのだろうか。

なんとしても、行ってみたいような。だけど、一度行ってしまったら、もう二度と戻れなくなってしまうような。

十五歳の春、島内の唯一の高校、花礼《はなれい》高校に、私は進学した。雑誌でおしゃれを研究し、テレビで見た東京ディズニーランドや原宿に憧れる、ごく普通の女子高生になった。

父が言っていた、「海のあっち」へ行く日。その日が、少しずつ近づいていた。高校二年生の秋に予定されている修学旅行の行き先が、東京だったのだ。

いちばん近い本土の町・稚内《わっかない》までフェリーで約二時間、稚内から札幌まで電車で約五時間。北のさいはての島から一歩も外へ出たことのない高校生にとって、東京は外国のようなものだった。私だけじゃない。ほとんどの花礼高の生徒にとって、東京はそういう存在だったと思う。生まれて初めての大移動に心を躍らせないわけがない。

しかも、修学旅行にはちょっとした企画が盛りこまれていた。都心部の高校生との交流会があるのだ。そして、修学旅行に出かけるまえに、二年生の中からひとりだけ「礼文島メッセンジャー」が選ばれる。礼文島メッセンジャーに選ばれた生徒は、公開授業で島を紹介するプレゼンテーションをする。噂《うわさ》では、この島メッセンジャーに選ばれた女子生徒は、東京の男子生徒の目に留まって文通を始め（当時はまだ携帯メールがなかった）、卒業後は東京の大学へ行って文通の彼と交際して結婚する、ということだった。

私はなんの根拠もなしにこの噂を信じた。高二になった私は、心密かにこの島メッセンジャーになることを願っていた。淡い初恋は実るはずもなかったし、男の子とまともに付き合ったこともない。東京のカッコいい男子と文通できたら、どんなにすてきだろう。

だから、島メッセンジャーの役を射止めたとき、「アイドルキャラバン」でグランプリを射止めたっていうくらい嬉しかった。うっそうと草が茂っていた大地に一筋の道がすうっと通るような気がした。その道は、もちろん続いていた。まだ見ぬ場所、東京へと。

よこしまな私の思いに気づきもせずに、家族は、私が「島の代表」になったことをそれは喜んだ。

「恵理子は島いちばんのめんこい娘《こ》だからね。東京でも、きっと目立つはずだべさ」

目を細めておばあちゃんが言う。

「またまた。おばあちゃんの眼鏡《めがね》で見ると、恵理子はどんなめんこい娘に見えるんだろうね」

そう言う母も嬉しそうだ。

「なあ姉《ねえ》ちゃん。そのまま東京から帰ってこないなんてことないべな」

恵太は、心配そうな目をしていた。ほんの少し、憧れと羨望《せんぼう》の色を宿して。

「帰ってくるさ。ここが姉ちゃんの帰る場所だもの」

そう言って笑ったのは、父だった。修学旅行へと出かける前日、「これでうまいもんでも食べろ」と、父が私の手に紙包みを握らせた。几帳面《きちょうめん》に折られた新札の一万円札が、中に入っていた。

翌朝、家族総出で見送ってくれた。じゃあいってきます、手を振りかけると、ふいにその手を取っておばあちゃんが言った。

「島のいいところをしっかり伝えてくるんだべ。礼文は小さい島だけど、日本人全員のふるさとみたいなところだべさって。東京の人たちがここへ来たら、私らみぃんな『ようこそ、おかえり』って言ってあげたいと思うてるって」

「何それ」と私は笑った。

「初めて来た人に『おかえり』なんて、ヘンだべさ?」

おばあちゃんはにこにことして、それ以上は何も言わなかった。ただ黙って、あたたかく私の手を握っていた。

「名もない丘」の上に立って、家族みんなが手を振っていた。おばあちゃん、母さん、そして弟。早朝に、漁に出かけてしまった父だけがいなかった。舞い上がりそうな秋空を背景に、みんな、いつまでも手を振っていた。

そうして、とうとうやってきた。東京へ。

東京ディズニーランドも原宿も、強烈な光線を放っていた。私はむしろ萎縮してしまった。驚いたことに、原宿でも渋谷でも、私たち花礼高女子一行は――いや、正確に言うならば私は、数えきれないほどの男の人に声をかけられた。君、かわいいね。どこから来たの? ねえ芸能人にならない? 君ならすぐデビューできるよ。スタイルいいね、モデルになれるんじゃない? 十分でいいからお茶しようよ……。

すぐにでも彼ができそうだった。それどころか、芸能界にデビューまでできそうだったのだ。なのに、ちっとも嬉しくなかった。ただこわかった。本能的に。東京に出てきさえすれば、こんなふうに、男の人たちにちやほやされて生きていけるのかな。

そう思ったら、いっそう不安になった。

修学旅行最終日。港区にある、小中高一貫の私立高校を訪問して、「島メッセンジャー」の任務を果たすべく、プレゼンテーションをすることになっていた。

たくさんの生徒や見学にやってきた地域の人たちにいっせいに視線を注がれながら、はるかな北の「海のあっち」側、礼文島のいいところを説明するのは難しいだろうなあ、と思っていた。ところが、意外にも、私はすらすらと話し始めたのだ。私のふるさとが、どんなにすばらしいかを。

冬が終わって、いっきに春が目覚めるときの息が止まりそうなほどの美しさ。花咲き乱れる短い夏、花を追って日本全国から訪れる人々とのあたたかな交流。まるでお菓子のように甘くふわふわなウニ。新鮮で豊富な魚介類。空を舞うウミネコとカモメ、遠く北方から泳ぎ来るアザラシやトド。

「あるとき、道の真ん中で倒れている人をみつけました」と、私はとっておきのエピソードを披露した。

「『大丈夫ですかおじさん、しっかりしてください！』って叫びながら走って近づくと……トドでした」

教室がどっと沸いた。私は（よっしゃ！）と心の中でガッツポーズ。そして、時間を十分以上もオーバーして、島のことを話し続けた。あんなに憧れていた東京で、故郷の話をするのが楽しくて仕方がなかった。

おしまいが近づくにつれて、なぜだろう、話しながら涙があふれてきた。ほんの五日間離れているだけなのに、父さん、母さん、おばあちゃん、恵太の顔が、なつかしくよみがえる。島がたまらなく恋しくなった。

「私たちのふるさとは」締めくくりの言葉を口にしたとき、声が震えてしまった。なんとかこらえて、私は続けた。

「私たちのふるさとの礼文は、美しい島です。一度いらっしゃれば、きっとわかります。まるで自分のふるさとのように感じていただけると思います。初めて島へ来た人にでも、『おかえり』と言ってあげたい。私たち島民は、いつもそう思っています」

ようこそ、礼文へ。おかえりなさい。

そう言って締めくくったとき、がまんしていた涙が、一筋だけ流れ落ちた。教室いっぱいに拍手が鳴り響いた。私は涙をぬぐい、顔を上げて、ありがとうございました、と笑顔でお辞儀をした。

そのとき、いちばん前に座っていた茶髪の女の子たちが、くすくすと笑うのが聞こえてきた。

「だっせー。超いなかっぺだよ」

反射的に、むっとした。でも、言い返す勇気なんてなかった。

「むっとしてるし。馬鹿が」

「いなかへ帰れ、ブス」

「トド」

聞こえよがしに悪口を連発する。私は両手を握りしめた。島での暮らしでは、キレることなんて何もない。でも、これ以上ここに立ってたら、生まれて初めてキレちゃうかもしれない……。

「あの、質問があるんだけど」

教室の後ろ、見学者が立ち並んでいるあいだから、にょきっと腕が伸びた。妙に筋肉もりもりの腕。続いて、人垣をかき分けて、おじさんが現れた。四角いハゲ頭に、私は目をみはった。

「君の学校の生徒さんは、皆さんカードゲームが得意ですか」

突拍子もない質問に、「は?」と頭のてっぺんから抜けるような声で反応してしまった。

「カードゲームって……トランプとか、でしょうか?」

「いやいや、そうじゃなくて」四角いハゲ頭のおじさんはさも愉快そうだ。

「日本の伝統的なカードゲームですよ。花札」

「花札……」

「いや、だって君の高校の名前だから。そういうのが得意な学校なのかな、と」

「花札」を「花札」と読み間違えたらしかった。またもや教室はどっと沸いた。私は、反射的に胸を撫で下ろした。

意地悪な女子高生と一触即発の瞬間に、おかしなおじさんが助け舟を出してくれた。東京には、いい人もいるんだな。

プレゼンテーション終了後の交流会で、その「おかしなおじさん」が、「やあやあ、さきほどは失礼」と近づいてきた。そして、満面の笑みで言った。

「君のね、よかった。涙が。そのあとの笑顔がね、虹《にじ》のようだった」

そう言った。私は、目を瞬《しばたた》かせておじさんをみつめた。そして、尋ねた。

「おじさんは、この学校の保護者の方なんですか？」

「僕？　僕はね、昔、娘がここの小学校に……」

そう言いかけて、

「いやね。僕、この学校の近くに住んでんの。この交流会にちょこっと寄付した関係で、呼んでもらっただけだ。来るつもりもなかったんだけど、でもまあ、今日は思わぬめっけもんをしたよ」

　にかっと笑いかけた。口もとからのぞいた前歯のひとつが欠けていた。そして、きょとんとする私の手にこっそりと名刺を握らせた。「芸能プロダクション　よろずやプロ萬鉄壁（元プロボクサー、いま社長）」と書いてある。イカつい名前とヘンな肩書きに、思わず噴き出してしまった。

　その様子を見ていた鉄壁社長は、「よしよし、その調子」とつぶやいてから、まっすぐに私の目を見て語りかけた。

「君、東京へ出てくる気はないか？」

　えっ、と私は小さく口を開いた。私の表情を見守るようにして、鉄壁社長は続けた。

「こっちへ出てくることになったら、僕に連絡ください。君の素質は僕が育ててあげるから。君にはねえ、あるんだよ。人を楽しませ、喜ばせる素質が。それが僕には、よーくわかる」

　私は目をぱちくりさせて、社長を見た。

「素質って……ボクサーの、ですか？」

　とたんに、わはは、と豪快な笑い声が上がった。

「いいね、君。いい、いい。すごくいい。その調子その調子」

　楽しそうな様子に、つい引きこまれて笑ってしまった。社長は、「ほらね」と笑いながら言った。

「君のその笑顔が、いいんだ。泣いたあと、きょとんとしたあとの笑顔が」

そして軽く私の肩を叩くと、

「みんな、言ってもらいたいなあ、って思うはずだよ。君に、その笑顔で『おかえり』って」

そう言った。

思えば、あのひと言が、私の人生を変えたのだ。もちろん、そのときには、このおかしなおじさんに私の運命を託すことになろうとは、思いもよらなかったけど。


「ちょびっ旅〈青森・黒石編〉」がオンエアされた翌週。鉄壁社長と私は、揃《そろ》ってあけぼのテレビに呼び出された。

月に何度か番組の打ち合わせで出かけるのだが、いまやマネージャーなど存在しない私は、いつも単独で行く。何か特別な要件があるときだけ、社長も一緒に呼び出された。予算が減額されたとか、スポンサーが一社抜けたからギャラカットだとか、視聴者からクレームがきたとか、呼び出しの理由は決まってネガティブなものだった。だから、「明日の打ち合わせは鉄壁さんも一緒に」とＡＤの奥村君から言われただけで、胃が縮まってしまうのだった。

「なんだお前、体がCの字になってるぞ。腹具合でも悪いのか」

新橋駅で待ち合わせて、ゆりかもめに乗ってお台場へ向かう。私が終始うつむき加減なので、社長はさすがに気がついたようだ。

「ええまあ、ちょっと……胃の調子が」

「食い過ぎだろ。『ちょびっ旅』であっちこっち旅して、うまいもんばっか食ってっからな。ったく、うらやましいこった」

飄々《ひょうひょう》としている。ネガティブなお達しがあるだろうことは社長だってわかっているくせに。こっちのほうこそ、その図太い神経がうらやましい。

あけぼのテレビの要塞のようなビルに到着した。受付でパスを受け取って、エレベーターホールへ向かう。エレベーターのドアが開いた瞬間に、男がふたり、さっと飛び出してきて、社長の肩にぶつかった。あやまりもせずに行ってしまいかけるのを、「おいこら」と社長が呼び止めた。

ピンク色のサングラスの顔が振り向いた。あっ、と私は声を上げた。以前よろずやプロに所属していた俳優、慶田盛元《けだもりげん》だったのだ。

「元ちゃん」思わず甘えた声を出してしまって、あわてて口を押さえる。社長は、じろりと元ちゃんをにらんだ。

「ぶつかっといてあやまりもしないたぁ、ずいぶんじゃねえか、元」

「鉄壁社長でしたか、失礼しました。ちょっと急いでたもんで、すいません」

元ちゃんは、急にうやうやしく頭を下げた。ふん、と社長は鼻から息を抜いて、元ちゃんのすらりとした全身を眺め渡した。

「はぶりがよさそうだな。全身ルイ・ヴィトンかよ？」

「いえ、グッチです」涼しげな笑みを浮かべて元ちゃんが返す。

「どうせ常磐《じょうばん》線に上から下まで揃えてもらったんだろ。めでたいこった」

常磐線、というのは、いま元ちゃんが所属している大手芸能プロダクション「ドミナント」の社長、常盤千一《ときわせんいち》のことだ。悪意をこめて、社長は「常磐線」と呼び習わしている。高度経済成長期、業界最大の芸能プロダクションだった「米沢《よねざわ》プロ」でマネージャー修業をともにし、その後お互い独立したらしい。いまは「唯一にして最大のライバル」と社長が一方的に闘志を燃やしているが、あっちは押しも押されもせぬ業界最強のプロダクション、こっちは所属タレントわずか一名の超零細プロダクションだ。

元ちゃんは沖縄の波照間《はてるま》島出身で、社長が掘り出してきて手塩にかけて育てていた、よろずやプロの期待の星だった。「ひと目見ただけでハートが持っていかれちまった」と社長が絶賛、ついでに私のハートまでもが、まんまと持っていかれてしまった。こちらは日本の最北端、あちらは最南端、さいはて出身同士ということで気が合い、私たちは社長に内緒ですぐに付き合いだした。私が二十歳、元ちゃんは十九歳だった。で、結局一年もしないうちに別れた。社長にも芸能レポーターにも、誰にも知られずに。

その後、私がタレントとしては下降線をたどったのに対して、元ちゃんはぐんぐん伸びていった。よろずやのダントツ稼ぎ頭になったとき、電撃的にドミナントに引き抜かれた。社長はゆでダコのようになって怒りまくったが、元ちゃんは「おれ、この世界でもっと上目指したいんです。そのためには、もっと大きい事務所にいなくちゃだめってことは、鉄壁社長がいちばんよくわかってるでしょ？」とあっさりしたものだった。

「えりちゃん、ひさしぶり」

元ちゃんは私のほうをちらりと見て、付き合っていた頃のままに呼びかけた。胸を高鳴らせながら、私は元ちゃんに微笑《ほほえ》みかけた。

「ひさしぶり。先週ぼのテレの特番、見たよ」

特別番組で、元ちゃんは、同じ事務所で超人気グラビアアイドルのリリアンと一緒にタヒチロケに出かけていた。ふたりは「いいお付き合いをしている」と先週コメントを出したばかりだ。番組放映直前での発表は、視聴率狙《ねら》いに決まっている。

「サンキュ。おれもときどき見てるよ、『旅ちょび』。あれって、たまたまテレビつけるとやってたりするからさ」

「旅ちょび」じゃなくて「ちょびっ旅」なんだけどな、と思いつつ、訂正できない。

「ちょびっ旅」は、毎週土曜日の午前九時半から九時五十五分までの放映だ。見るともなしにテレビをつけていると視界に入ってくる番組として、視聴率は低いがなかなかの長寿を保っている番組なのだ。

「お前も派手なことばっかりやってないで、おかえりを見習って地道な仕事を心がけるんだな」

本気なのか悔しまぎれなのかわからないようなことを、社長が言った。「そうすね」と元ちゃんは軽く返した。

「すいません鉄壁さん、次があるんで」と元ちゃんのマネージャーが後ろから口をはさんだ。

「ああ、引きとめて悪かったな。って、お前がぶつかってきたんだろうが」

社長はファイティングポーズになると、元ちゃんの肩を拳《こぶし》でぽん、と軽く殴った。

「うわ、強烈。全治三ヵ月」

元ちゃんが大げさによろめいてみせると、「ばーか」と社長は笑った。

「たまには顔出せ。『一点晴《いってんばれ》』でラーメン食わせてやっから」

「どうもです。そのうちに」

もう一度ちらりと私に目配《めくば》せすると、さっさと行ってしまった。

あけぼのテレビ編集局第三会議室。照明を落とした室内は、重苦しい空気が立ちこめている。

大型のテレビモニターに、箸《はし》を口に突っこんだ私の顔のアップが映し出されている。それを、出席者全員、沈鬱《ちんうつ》な表情でみつめている。

「もう一回、いまのところ出して」

あけぼのテレビのプロデューサー、藤嶋《ふじしま》さんが低い声で指示を出す。DVDが三秒戻されて、モニターの動画が始まる。

『ああ、あっつーい。汗かいちゃった。でもほんと、おいしーい。つゆの中でも焼きそばのエゾソースがぴりっと効いてて、たまらない味です。やっぱ隠し味はエゾソースかな』

「止めろ」

ピッと音がして、私が箸を口に突っこんだシーンで動画が止まる。

「もう一回。ソースのとこ」

また戻して、同じ場面が再生される。『やっぱ隠し味はエゾソースかな』

「もういい。電気つけて」

ぱっと照明がついた。全員、息を詰めたままだ。藤嶋さんは、「おかえりさあ」と私に向かって沈鬱な表情を変えずに訊いた。

「なんつってんの、これ？　ソースのとこ」

「だから『江戸ソース』ですよ！　さっきから何度聞いても『江戸ソース』って言ってるじゃないですか！」

つい高ぶった気分のままの声を出してしまった。落ち着け、とでも言うように、隣の社長が眉間《みけん》に皺《しわ》を寄せて目配せする。ピッ、と音がして、また画面がリピートされる。

『やっぱ隠し味はエゾソースかな』

「エゾソース」瞑想するように目を閉じて、藤嶋さんがつぶやく。

「江戸ソースですっ！」私はついにテーブルをばん、と叩いてしまった。

「落ち着け」と今度は声に出して社長が言った。全員、いっせいにため息をついた。

「まあ、どうあれ、もうオンエアされてしまったわけですよね、これは」

眼鏡の縁をくっと持ち上げて言葉をはさんだのは、大手広告代理店「番通《ばんつう》」営業課長、徳田《とくだ》さんだ。「ちょびっ旅」番組スポンサー担当で、番組開始以来徐々に減っていくスポンサーをなんとか食い止め、存続に一役買っている人物だ。会議室でこの人が何かものを言うときがいちばんぞっとする。

「真実がどうあれ、今回の丘さんの発言で、スポンサーの『江戸ソース』さんは相当なご立腹です。『何も昭和元年創立以来のライバル〝エゾソース〟の社名を連発することはないだろう』と」

そうなのだ。現在、「ちょびっ旅」のスポンサーはウスターソースの老舗《しにせ》企業「江戸ソース」一社のみ。この不況で次々とスポンサーが降板していく中で、「『ちょびっ旅』を見たあとは土曜日のランチに焼きそばを食べよう」をスローガンとし、スポンサーを続けてくれていた。この四月からの放送期間も、「江戸ソースさんが降りたら打ち切り」と言われていただけに、スポンサー継続宣言は神の声のように聞こえた。そんなこともあって、今回の「やきそばのまち黒石」は、番組クルー全員が張り切ってセッティングした。土曜の昼に焼きそばを食べる視聴者がもっと増えてくれるように、と。だからこそ私も、サービス精神全開で連呼したのだ。「やっぱ隠し味は江戸ソースかな」と。

ああ、それなのに。信じられないことが起こってしまったのだ。

オンエア直後から、視聴者からの問い合わせが殺到したという。「黒石の焼きそばは『エゾソース』を使ってるんですか?」「スポンサーは『江戸ソース』なのに、なんで『エゾソース』なんですか?」「おかえりは北海道出身らしいから、やっぱり地元の『エゾソース』イチオシなんですね」等々。

「ライバル社の『エゾソース』は、この五日間の売り上げが前年比三パーセントアップだそうです」

能面のように冷ややかな顔で、徳田さんが言う。

「この番組がそんなに見られてるとはな」と藤嶋さんが口をはさんだ。全員、もう一度特大のため息をついた。

「私としても最大限の善後策を講じましたが……」

徳田さんは能面フェイスを藤嶋さんに向けた。藤嶋さんはひとつ、うなずいてから、社長と私に向かって宣告した。

「というわけで。非常に残念ですが、本番組は、今回のオンエアで打ち切りが決定しました」

えっ。

一瞬、頭の上にげんこつが落ちてきたような衝撃が走った。ほんとうに頭の中が真っ白になった。

「打ち切り……」

強烈なアッパーカットでも受けたように顔を天井に向けて、社長はうめき声を漏らした。会議室は水を打ったようにしんと静まり返った。

「いい番組だったんだけどね。まあ、しょうがないわな。おかえり、次でがんばろうや」

しばらくして、藤嶋さんが妙に元気よく言った。取ってつけたような言葉が、空っぽの頭の中で、がらんがらんと音を立てた。

会議に参加していた人々が、無言で次々に退出していく。「ちょびっ旅」ディレクターの市川さんが、沈痛な面持ちで私たちのところへやってきた。

「鉄壁さん、丘ちゃん。すみません。この通り」

深々と頭を下げた。

「今回の件、おれの判断ミスです。おれは現場で、丘ちゃんに『このセリフはアドリブだけど、江戸ソースさんに感謝の気持ちを伝えたくて』って聞いてたから、むしろカットしなかったんだ。台本通りにやってたら、こんなことにはならなかったのに……ほんとに、悪かった」

私には、どんな言葉もなかった。ただ、奥歯を噛《か》みしめて下を向いていた。隣で沈黙していた社長が、ぼそりとつぶやいた。

「いっちゃん、ありがとうな、いままで。この通り」

市川さんよりもっと深々と頭を下げた。市川さんはあわてて社長の肩を両手で押さえた。

「やめてくださいよ鉄壁さん。天下の鉄壁さんにそんなことされちゃ、おれ、どうしたらいいのか……」

「あんたにゃどんなに礼を言っても言い足りない。すっかり干されたおかえりを起用してくれて、廃業寸前のおれたちを救ってくれた。おかげで今日まで生き延びられたよ」

頭を下げたままでそう続けてから、

「明日はもうねえがな」

自虐的なことを言った。市川さんは、思わず苦笑した。

「何言ってんですか、大丈夫ですよ。鉄壁さんは地獄から這《は》い上がってきた男じゃないですか。ドミナントの常盤さんとやり合ったときも、奥さんやお嬢さんのことがあったときも……」

そこまで言うと、急に「ととっ……とまあ、そんなこんなで」と言葉を濁した。

「まあしばらくは冷や飯食ってもらわなきゃならんでしょうが、きっとまた何か丘ちゃんにぴったりの企画を作りますよ。リベンジさせてください。な、丘ちゃん。いいだろ？」

私は何も言えずに市川さんをみつめた。涙がこみ上げてきた。

だめだ、泣いちゃ。三十女が泣いたって、かわいくもなんともないんだから。

「そうですね。ありがとうございます」

むりやり、にこっと笑ってみせた。市川さんは、頬をほっと緩ませた。

「じゃあ、次があるんで。また赤坂行きます。『一点晴』のラーメン、食いにいきましょうよ」

市川さんが出ていき、社長と私のふたりきりになってしまった。がらんとした会議室に空調の音が空しく響いている。社長は肩を落として椅子に座ったままだ。

私は恐る恐る、声をかけた。謝罪の言葉と言い訳の言葉が頭の中を巡っている。適当な言葉が出てこない。

「社長……私……」

しばらくして、社長が力なく言うのが聞こえた。

「で、お前どうすんだ。クニへ帰るのか？」

こらえていた涙が、またこみ上げた。

もう、なんにも仕事がない。

明日から、収入のあてもない。給料ももらえなければ、事務所の家賃も払えなくなる。使えないタレントがしがみついてたって、会社に迷惑なだけだ。

いままでだって万事休したことはあった。そして何度も社長に訊かれた。クニへ帰るのか？　だけどそのつど、同じ答えを返してきた。

「いえ。帰りません。……帰れません」

私は顔を上げると、きっぱりと答えた。社長は、ふっと口の端で笑った。

「帰れないのか？」

私は、口を結んでうなずいた。その拍子に、ふいに涙がこぼれてしまった。泣き顔を見られたくなくて、うつむいた。

「……おれもだよ」

いつになく静かな声がした。そっと目を上げてみる。やさしい色を浮かべた社長の目。

初めて出会ったとき、包みこむようにみつめていたまなざし。

「おれも、帰れない。クニにはこのさき、一生帰れないんだ。……ずるい大人になっちまったからな。つまらねえな」

だからここで、踏ん張るしかねえんだ。何があったって。

そのひと言が、私の胸のずっと奥にぽつんと落ちて、じわっとしみた。私は涙をぬぐって、顔を上げた。

「さて」社長は勢いよく立ち上がった。

「じゃあ、行くか。景気づけに、『一点晴』」

「はいっ」とすかさず返事をした。「ネギ味噌ラーメン大盛で」

「ったく、調子いいやつだなあ」

社長はあきれた声を出した。


社長とふたり、台場駅でゆりかもめの到着を待つ。ふいに、「あのう」と声をかけてくる人がいた。観光客だろうか、旅行中らしき様子の中年女性が目を輝かせてこちらを見ている。そして、「おかえりさんですよね?」と言った。

「『ちょびっ旅』、いつも見てます。握手していただいてもいいかしら?」

どきりとした。すぐに笑顔を作って、「ありがとうございます」と手を差し出した。

おばさんは、私の手を握って元気よく上下に振った。旅仲間らしきおばさんがふたり、「私たちも」と手を差し出す。全員と次々に握手した。

「この前は黒石でしたね。今度はどこへ行くの？」最初に声をかけてきたおばさんが訊く。

「さあ、どこでしょう」私が答える。

「楽しみにしています。じゃあ元気で、よい旅を」

よい旅を。

ゆりかもめが到着した。私たちが乗った車両が見えなくなるまで、おばさんたちはホームで手を振ってくれていた。

「社長」

独り言のように呼びかけた。窓に流れる景色をみつめていた四角いハゲ頭が、こっちを向く。

「さびしいです。……もう旅ができなくなったら」

本音を言ってみた。社長は、ふん、と鼻で笑った。

「なに、心配するな。おれがなんとかしてやっから」

「ほんとですか」

「ああ、ほんとだ」

「じゃあまた、私、どこか行ける？」

たぶん、思いきりきらきらした目で社長をみつめたと思う。社長はもう一度、ふん、と笑って言った。

「おう、行ってこい。そいでまた、帰ってこい」

# 2

拝啓

はじめまして。土曜の朝の「ちょびっ旅」、いつも楽しく拝見しております。日本のあちこちを旅する、おかえりさんのほのぼのとした町案内。人情味あふれるナレーション、ときおり見せるおトボケもかわいらしく、毎回、番組に見入るうちに、何やら娘とともに母娘《おやこ》旅でもしているような気分になっておりました。

先日放映された「青森・黒石編」でも、黒石名物のつゆ焼きそばを「あふ、あふ」と言いながら頰ばる様子がなんとも楽しく、またおいしそうで、こちらまであつあつの焼きそばを、「おいしいね」と一緒に食べているような気分になりました。

さて、今日もいつもの通り、テレビの前で「ちょびっ旅」が始まるのを待っておりましたところ、まったく違う番組が始まったのです。チャンネルを間違えたか、はたまた時間を間違えたかと新聞のテレビ欄を見ましたら、「新番組・グルメでドン！」と書いてあるではないですか。

まさか終わってしまったの？　と驚いて、すぐにあけぼのテレビに電話をしました。そうしたら、電話の方がおっしゃるには、「ちょびっ旅」は先週で終了した、と……。

残念という以上に、心配になりました。

いつも元気いっぱいに飛び回っておられたおかえりさん。体の具合でも悪くなったのかしら、何か特別な理由があって番組を降りたのかな……などと、やはり、娘を思う母の気持ちになり、矢も楯《たて》もたまらず、こうしてお手紙をしたためた次第です。

どんな長寿番組でも、いつかは終わりを迎えることでしょう。ですから、局側の都合で終了したのであれば、一視聴者としては、仕方がないと受け入れるほかはありません。けれど、私は、ひたすらにおかえりさんの身の上を案じております。何ごともなく、お元気で、これからも旅を続けていかれますよう。そして、また何かの番組で、テレビが無理ならば新聞でも雑誌でも、ご活躍を拝見できれば、と願っております。

私のように、車椅子生活を余儀なくされ、遠くへ旅をしたくともなかなかできない者に代わって、なつかしい日本のふるさと、美しい風景の中へと出かけてくださいますように。

ご健康とご多幸を、心からお祈りいたします。

かしこ
丘えりかさま

赤坂、赤坂。お降りの方は、足もとにお気をつけください。

駅到着のアナウンスがぼんやりと耳に届いた。あっと小さく叫んで、膝の上に広げていた手紙をつかみ、閉まりかけたドアのすき間にかろうじて体を滑りこませた。

ふう。ヤバかった、乗り過ごすところだった。二週間もオフだったから、なんだか調子が狂っちゃったかな。

さあ、事務所まで急がなきゃ。鉄壁社長との大事な打ち合わせに、一分たりとも遅れるわけにはいかないんだから。芸能人は、時間厳守が命。何があろうと、強く、明るく、元気よく。仕事がなくとも、胸張り顔上げ堂々と。

「……で、全財産の入ったバッグを、まんまと座席に忘れてきたってわけか」

社長室の「重役風」合成皮革の椅子に深々と座って、萬鉄壁社長がため息をついた。

「まあ、そういうことです」私はいっそ開き直って、言い訳をした。

「心に刻むべく、ファンレターをしっかりと拝読してたんです。こんなふうに応援してくださる方がいて、私って幸せ者だなあ、って。そしたら乗り過ごしそうになっちゃって……二週間ぶりの出勤だったから、勢い余っちゃって」

「勢い余ったんじゃなくて、単にあわててただけだろうが」

心底あきれたように社長が言った。

「届いてないってよ。地下鉄のお忘れ物総合取扱所にも」

開けっ放しのドアから顔をのぞかせて、のんのさんがうきうきと言った。私がアクシデントに見舞われると、いつもちょっとだけ楽しそうなのは気のせいだろうか。

「どうする？　警察にも電話しとく？」

「ああ、そうしてくれ」

のんのさんの紅潮したぽっちゃり顔に向かってそう言ってから、「お前もさっさと電話しろ」と、今度は魂が抜けたようになっている私に向かって言った。

「豊田キヨ子さんにですか？」

地下鉄の中で何度も繰り返し読んだ手紙の差出人の名前を口にすると、

「馬鹿野郎！　カード会社と銀行に決まってるだろ！」

ほとんど条件反射のように罵声が飛んできた。

「お前今月から収入ゼロなんだぞ！　他人に金を引っぱり出されたら最後、飢え死にするしかねえだろうが！　ファンレターにちまちましがみついてセンチメンタルになってる場合か!?」

重役風のでっかいデスクの上に載せられた豊田キヨ子さんの手紙の横に、座布団のような手をバン、と叩きつけた。その風圧で飛ばされるようにして、私は社長室を出た。ちょうどのんのさんが警察に電話をかけている最中だった。受話器をもっちりしたほっぺたに左手で押しつけ、右手の指をねじねじとコードに絡ませながら事情を話している。『芸能プロダクション「よろずやプロ」と申します。あのう、うちのタレントが全財産の入った流行遅れの古ぅいルイ・ヴィトンのバッグを地下鉄の中に置き忘れまして。何者かに持ち去られたようでして。はあ、本名は「岡林恵理子」ですの。……芸名ですか？　いえいえ、申し上げてもきっとご存じありませんから。いえいえ、スポーツ新聞のネタになるような大物じゃございませんのよ。ホホホ』

だからなんでそんなに楽しそうなんだ？　とは口に出さずに、のんのさんのデスクの隣、空いている灰色の事務机の前に座る。ここは、かつて私のマネージャーだった飛山《とびやま》さんの居場所だった。営業からトイレ掃除までの雑多な仕事に音を上げて、彼が二年まえに辞めてしまって以来、実質的にこのデスクは私の居場所になっている。「タレントは事務所にいてもらっちゃ困る」と社長に言われつつ、「ちょびっ旅」で出かけるとき以外は、ここに居座って、かなり旧式のでっかいパソコンで次のロケ地情報を収集するのが常だった。

ネットでカード会社と銀行の「紛失届」の連絡先を検索する。全財産を紛失したことには違いないが、それにしても大した金額ではない。財布の中身は三千円、銀行の預金高は五万円を切っていた。クレジットカードなんて、この一年は使った記憶がない。花のアラサー、身分はいちおう芸能人。なんで私こんなに貧乏なんだろうか。

隣で電話を切ったのんのさんが、灰色の事務椅子をくるりと回転させて、

「ね、えりかちゃん。あんた、脱いだらどう？」

と言った。私はつんのめって、あやうくパソコンに頭突きをしそうになってしまった。

「っ……なんですかっ、いきなり！」

「考えてもごらんなさいよ、いまのうちの窮状を。仕事ゼロよぉ、ゼロ。『ちょびっ旅』でも、一本分のギャラは三十万だったでしょ。月四本で百二十万。年間収入千四百四十万もあったのよ。まあ、経費やら税金やらを差し引けばカツカツで、あんたやあたしの給料はかなり少なかったけどさ……。それでもゼロよりはいいわよねえ」

私の全身をじろじろと眺め回して、

「ま、あたしの若い頃に比べりゃ、かなり栄養不足って感じだけどね。特にここ」

自分のふくよかな胸の下に手を当てて、ぼよんぼよんと揺すってみせた。

「私、胸中心に栄養失調なんで、脱いだって誰も欲情してくれませんから。のんのさんこそやってみたらどうなんですか？」

意地になって言い返すと、

「あら、あたしぃ？　だめよぉ、さすがにお年だもん。あたしが脱いだら衝撃的過ぎよ

お。いままでどんなに求められてもずうっと脱がずに寸止めしてきたんだからさ。いま脱いだら古永《ふるなが》さおりが脱ぐのに匹敵しちゃう」

自分と同い年の大物女優を引っぱり出してきた。元セクシーアイドルは、肉体に対する自尊心だけは人一倍強い。

「ほら、『鄙《ひな》びた温泉宿、脱いでおかえり。』とかさ。車内吊り広告でもまっさきに目に飛びこんでくるわよ、きっと。いまならまだイケるわよ、『ちょびっ旅』で多少知名度あるんだし。来年はもうないんだからさ、ね?」

電話の内線が鳴った。「はいっ」とすかさず出ると、『電話すんだか』と社長の声がした。

「はいっ。いまするところですっ」

『なんだ、まだしてないのか。いまごろ引き出されてるぞ、お前のなけなしの預金が。さっさとやることやってこっちへ来い』

ようやく銀行とカード会社に電話をすませ、社長室へ出向いた。鉄壁社長は、油揚げのような手でキヨ子さんの手紙を広げて読んでいた。そして、デスクの前に立った私のほうへ広げたままの手紙を差し出すと、

「えりか。お前、脱ぐ気はあるか」

またもやいきなり言われた。私は、「はあ?」と頭のてっぺんから声を出した。

「脱ぐんですか？　私が？」

「そうだよ。『アラサー・元アイドル・おかえりが脱いだ！』ってやつだ」

今度は書類をばさっと投げてよこした。「よろずやプロダクション御中　丘えりか写真集企画書　（株）イー・アール・オー企画」と表紙がつけられている。私は、手に取らずにそれを斜め上から凝視した。

「この業界、窮地に立たされたタレントに群がるハイエナがうじゃうじゃいるんだよ。多少若くて多少かわいけりゃ、丸裸にして売り出して進ぜましょう、ってことだわな」

「すごく若くてすごくかわいい子をハダカにすりゃいいじゃないですか」

むっとして返すと、

「それじゃコストが合わないんだよ」

あっさり言われた。ひどくがっくりしたが、憎らしいので威勢よく言ってやった。

「でも私、胸とか全然ないですよ？　ベニヤ板並みですよ？」

「そこまで薄くねえだろ。そういうときは『洗たく板』って言うもんだ」

どっちでも一緒だ。

「『ちょびっ旅』打ち切りの噂は、どんなにおれがふたをして回ったって、もう出回ってるんだ。いまならまだお前には知名度がある。鮮度があるうちに脱がしたほうがいいに決まってるわな。来年はもうないかもしれないいんだから」

まるで打ち合わせでもしたかのように、のんのさんと同じことを言う。二度言われればさすがに気持ちも萎《な》える。

「来年は……もうないんですかね、私」

つい落胆した声を出してしまった。鉄壁社長は口を結んでいたが、

「お前だけじゃない。のんのも、おれもだ」

半ばあきらめたような、ため息交じりの声で言った。それきりふたりとも黙りこくってしまった。

室内には時計《とけい》の秒針が時を刻む音だけが響いている。社長の背後の本棚に鎮座している金色の立派な置時計、ベルサイユ宮殿から持ち出したんじゃないかってほど装飾過剰なこの時計を、社長は後生大事にしていた。そう、かつてよろずやプロ全盛期の頃、私の元カレ・元ちゃんがジャパンアカデミー賞新人賞を受賞したときの「正賞」だ。「これはおれのものじゃない。鉄壁社長のものです」とか言って、元ちゃんは社長にプレゼントしたんだっけ。私には「超趣味悪～」と言ってたくせに。

社長に気づかれないように、私は小さく深呼吸した。ほんの三秒、目を閉じた。それから、きっぱりと言った。

「わかりました。脱ぎます」

鉄壁社長が、どんぐり眼を見開いた。文字通り、ハトが豆鉄砲を食ったような顔だ。

「ってお前……本気か？　おれたちのためにか？　事務所存続のために、決心してくれたのか？」

血走ったどんぐり眼を瞬きもせずに私に向ける。あんまりおもしろい顔を見せられて、私はもうちょっとで爆笑してしまいそうになった。

「……なんだ？　お前いま笑いそうになっただろ？　そこ笑うとこなのか？」

真顔を作ったつもりなのに指摘されて、私はたちまち笑い出した。一度笑い出すと、もう止まらない。

あんまり私が笑うので、とうとう社長も笑い出した。私は、目頭にたまった涙を指先でぬぐうと、「ああ、よく笑ったあ。すっきりした」と、心から言った。

「で、撮影はいつですか」

ようやく落ち着きをとり戻して訊くと、ぱらぱらと企画書をめくって社長が答えた。

「お前の心の準備さえできれば、いつでも、ってことだ」

「じゃ、明日《あした》にでも」

すぐにそう返すと、

「なんだよ。ずいぶんあっさりしてるんだな」

拍子抜けしている。私はまた、おかしくなった。

「ロケ地の候補はどこですか」

「いくつかあるようだな。ええと……『第一候補・鄙びた温泉宿、第二候補・海辺の民宿、第三候補・イチゴ農家のビニールハウス』……」

そこまで読んで、ばさっともう一度机の上に企画書を放り投げた。

「ちっ、足もと見てやがる。要するに、ロケ代がねえってことだあな。ハワイかタヒチにでも連れてけっての」

私はちっとも気にならなかった。これでまた、旅する理由がみつかったのだ。

「それであの……ギャラは、いくらくらいでしょうか」

訊きにくかったが、訊いてみた。ずっとまえ、のんのさんに聞かされたことがある。三十年まえ、のんのさんに脱げ脱げと迫った企画会社が提示してきた金額は、ほんとか嘘か知らないが、一千万。それでも、当時のんのさんのマネージャーを兼務していた鉄壁社長は、「その値段じゃ靴下片っぽでも剝《は》がせねえぞ」と言って断ったそうだ。

一千万あれば、事務所の窮地を間違いなく救える。私は、固唾《かたず》を飲んで社長の答えを待った。

社長は、少しのあいだ私の目をみつめていたが、

「せっかく決心してくれたんだ。嘘はつかねえぞ」

と前置きしてから、

「百万だ」

ひと言、言った。私は、「は？」と訊き返した。

「あの……ゼロ一個足りなくないですか？」

社長は黙っている。私は下を向いた。急に顔がほてるのを感じた。めちゃくちゃに恥ずかしくなったのだ。

アラサーの元アイドルごときが脱いだところで、一千万も出してくれるモノ好きなどこの世に存在するはずがない。それに気づかず、「会社の窮地を救える」などと、大きく構えた自分がたまらなく恥ずかしかった。

「ばーか。そんな値段で、うちの大事なタレントが脱ぐかってえの」

笑いを含んだ声が聞こえた。私は、耳まで赤くなった顔をそっと上げた。

社長の両手が、私の目の高さに企画書をぶら下げている。びりびりっと音がして、あっというまにちりぢりの紙くずになってしまった。

「百万ごときじゃ靴下片っぽでも剥がせねえぞ。一昨日《おととい》来やがれ、エロ集団が」

私は口を「あ」と開けたまま、これでもか、これでもかとばかりに企画書が細かく破かれていくのをみつめていた。だんだん、自分の口が「へ」の字のかたちに歪んでいくのを感じていた。

「ってことでだな。おれは最初っから、こんな話、受ける気なんぞなかった。ただ、お前の肝っ玉を試すのに、ちょっくら利用しただけでよ」

肩で息をついて、「えりか」と社長が私の目を見て呼びかけた。

「はいっ」と答える声が、うかつにも涙声になってしまった。

「いいか。今後、こんな話はいくらでもくる。お前のところにも、直接わんさかくるだろう。だけどな、忘れるんじゃねえぞ。番組が打ち切られようが業界に干されようが、『おかえり』は日本中に存在してる『キヨ子さん』たちの大事な娘なんだ。お前がどっかの男の『オナペット』なんかになったら、悲しむおふくろさんが日本中にいるんだ」

一瞬こぼれかけた涙が、ひょいと引っこんでしまった。

「あ、あのすみません社長……『オナペット』って？」

「ん？　ああそうか、いまどき『オナペット』はねえわな。『オナドル』ってぇのか？

……って大事なこと話してんのに水差すんじゃねえ！」

ぺちん、とおでこを叩かれた。「あたっ」と一声、叫んで笑ってしまった。元ボクサーに叩かれて嬉しそうに笑うのは、きっと世界中で私だけだろう。

「ったくお前ってやつは。おれが言ったことわかったのか？」

「はいっ。よくわかりました」

社長は心底あきれたような、同時に安心したようなため息をついた。そして、もう一度、私の目を見て言った。

「ありがとうよ、えりか。お前の気持ち、大事にとっとくからな」

そして、デスクの上に載せられたままだったキヨ子さんの手紙をていねいにたたんで、あらためて私のほうへ差し出した。

「ま、とにかくよかった。お前が電車の中に忘れたのが、この手紙じゃなくて。こういう人の存在こそが、お前の人生の宝物だぞ」

言われなくても、そう思っていた。けれど、言われてみると、いっそうしみじみ、そう思った。


花礼高校卒業間近の、早春。

十八歳の私は、母と、仏間で向かい合っていた。

長方形の箱のように、きっちりと正座する母。その前で、やはり正座して、うつむく私。

私たちの横には、先祖代々が祀《まつ》られている仏壇があった。そして、その前には白い布を掛けられた小さな台。その上に、白い布で包まれた箱。父の遺骨が入った箱があった。

「帰ってくるんでねえよ」重たく、湿った母の声が響く。

「父さんに約束したんだべ。いっぺん決めたことは、最後まで、きっちりとやり抜くんだよ。それまでは、ここへ帰ってくるんでねえよ」

うなずこうとして、なかなかうなずけなかった。父との約束を果たさない限り、簡単にはこの家に戻れないのだ、と悟っていた。けれども、ここでうなずいたら、母とも約束したことになる。芸能人として花開くまでは、決して故郷には戻らない——と。

家族が父の体の異変に気づいたとき、もう取り返しがつかなくなっていた。末期がんだった。父は、不調をずっと隠して漁に出ていたのだ。町立病院で診察を受けたのだが、もはや手遅れだった。末期がんのケアを受けるためには、札幌まで行かなければならない。母が必死に説得したが、父は受け入れなかった。「最期は島にいたいんだ」と。

その頃、私は、一大決心をしたばかりだった。萬鉄壁を頼って、芸能界入りするという決心。

修学旅行で東京を訪れたのち、折々に鉄壁社長から手紙をもらった。とても熱心な手紙。東京に来なさい。君はつぼみだ、大きな花を咲かせる力を宿している。僕がきっと花開かせてみせる。手紙は、私ばかりにではなく、両親のもとにも届いた。娘さんを預からせてください、必ず成功させて、故郷に錦を飾るお手伝いをします。「故郷に錦を飾る」なんて、古くさ過ぎる表現だったけど、両親やおばあちゃんの心には、意外にもこのひと言が響いたようだった。私も、段々とその気になっていった。

あのヘンなおじさんに、自分の運命を預けてもいいかもしれない。

海鳥よりも、アザラシよりも、遠くまでいけるかもしれない。今度こそ、「海のあっち」の世界へ、大きくはばたけるかもしれない。

その直後に、父の病気が発覚した。ついに私は決心を固めた。祖母と母と高校一年生の弟の暮らしを支えるためにも、東京へ行って、よろずやプロに就職する。芸能人になって「故郷に錦を飾る」。そう決めた。

父さん。私、東京へ行く。芸能人になる。有名になって、帰ってくるよ。それまで、待っててくれるよね？

病床の父の枕元《まくらもと》で、私はそう告げた。父は、弱々しく微笑んだ。

わかっとったよ。お前は、いつかこの島を出て、「海のあっち」へ飛んでいくってな。

恵理子。大きくなって、帰ってこい。

きっと、その頃には、父さん、もういない。けど、父さんの魂は、この家を守って、いつまでも、お前が帰ってくるのを待っとるよ。

そうして、父は、ひとり、天国へと旅立った。

告別式に、鉄壁社長が現れた。祭壇に、長いこと手を合わせていた。そのあとで、母に告げた。お嬢さんは、私が責任もって育てます。どうか何も心配なさらず、お任せください。

父の四十九日を目前にして、母は、私を仏間に呼んだ。父の遺骨の前で、私たちは正座して、向かい合ったのだった。

帰ってくるな、と母は言った。花開くまでは、決して帰ってきてはならないと。それが、亡き父との約束なのだから。

私は、うなずいた。大きく、ひとつだけ。その拍子に、涙がひとつぶ、膝の上に落ちた。

あれから、ずっと、故郷の島へ帰っていない。

花開きかけた瞬間があった。でも、いまじゃない、もう少しと自分をいさめた。もっと大きく、華やかに。ふるさとの島を彩る花々のように。いっぱいに咲いて、そのときこそ、戻るんだ。

私の開花日は、いったい、いつなんだろう。ひょっとすると、もう、花は開かないのかもしれない。

レギュラー番組を失って、テレビ局にはすっかり干されて、おまけに全財産入りのバッグまで失くしてしまって。

つぼみのまんま、しなびて、落ちる。それが私という花の、運命なのかもしれない。

地下鉄の座席に置き忘れて、そのまま行方《ゆくえ》不明になってしまった「全財産入り」ルイ・ヴィトンのバッグ。芸能界デビューしたての頃に、「ブランドバッグのひとつでも持っておけ」と、鉄壁社長が買い与えてくれたものだ。

全財産はしょうがないとして、記念のバッグを失くしてしまったことのほうが悔やまれた。けれど、いつまでもくよくよしてなどいられない。事務所が生き延びるためには、そして自分自身が生きていくためには、一刻も早く何か仕事をみつけなければならないのだ。——けれど。

このまま、花開かずに終わるのかな。最近、そんな思いが胸をよぎることがしばしばあった。

父と母との約束を果たせずに、私、このさきずっと、ふるさとには帰れないかもしれない。

そう思いかけて、いやいや、それじゃだめでしょ、と自分に言い聞かせる。あきらめるのは、まだ早い。どうにかここまでやってきた。私という花は、けっこうしぶといのだ。

とりあえず「脱ぐ」のはなしになったので、社長とともに各テレビ局の旧知のディレクターや、コマーシャルやドラマの出演者を選出するのを業務としているキャスティングオフィスを訪ねて回ることにした。そして、ドラマやコマーシャルやイベント、その他なんでも、移動と旅とグルメを愛する、多少若くて多少かわいい、そしてそこそこ知名度のあるタレントのご用命はございませんかと訊いて回った。萬鉄壁もだてにこの道四十年ではない。知り合いだけはごまんといた。けれど、その中で聞く耳を持っている人は五人といなかった。

たいがいのディレクターや企画会社の担当者は、「機会があればご一緒にお仕事したいですね」と愛想よく応対する。けれど、彼らが力点を置いているのは「機会があれば」のほうであって、「お仕事したい」というほうではない。そして、その「機会」はこのさき当分訪れないであろうことを、社長も私も痛いほど感じていた。

この業界で「スポンサーを怒らせて番組を打ち切りに追いこんだタレント」というのは、神の逆鱗《げきりん》に触れて天界を追い出された堕天使のごとく忌み嫌われる。もちろん、誰ひとり不穏な表情は見せない。けれど、彼らの心の声、（お前にはもう用はねえよ）という声が、「機会があればご一緒にお仕事したいですね」という言葉から伝わってくる。

「なあに、仕事のひとつやふたつ、すぐみつかるさ。こうして『よろプロ』の社長と看板タレントがわざわざふたりで頼んで回ってるんだからな。こんな行幸、めったにねえぞ」

最初のうち、社長はかなり強気だった。のんのさんに無理やり頼んで私が使える「活動費」を工面してくれたし、昼も夜もイタリアンレストランや和食の店に連れていってくれた。それが三日も経つと昼食はラーメンになり、四日目にはホカ弁になった。さすがの社長も目に見えて意気消沈していった。「やっぱり脱いでくれ」と今日にでも言われるかと、こっちはひやひやした。

そして、五日目。

「決めた」

六本木ヒルズの超高層タワーの真下、ぴかぴかに磨かれた石のベンチに腰かけて、その日のランチであるコンビニのおにぎりのラップを剝がしながら、突然、社長が言った。

「かけ合ってみる。常磐線に」

おれが脱ぐ。──と言われたのと同じくらいびっくりして、私は社長を見た。

「いつまでも意地を張ってたってしゃあないわな。どんなにおれをライバル視していようが、あいつはあれでけっこう人情厚いとこ、あるんだ。きっと何か回してくれるだろう。よし、そうしよう。決めた決めた」

自分に言い聞かせるようにつぶやいてから、海苔《のり》でくるんだおにぎりを丸ごと口に突っこんだ。そして、もうこれ以上何も言わない、だから何も訊くな、とでも言うように、大口をおにぎりでいっぱいにして、飲みこむのにひと苦労していた。

私は自分のおにぎりのラップを剝がしかけて、そのまま指を止めてしまった。

業界最大手の芸能プロダクション「ドミナント」と、その社長の常磐線こと常盤千一。鉄壁社長が心のどこかで励みにし続けてきたかつての同僚、よきライバル。どんなに格差が生じようとも、競い合う心こそあれ、おめおめと頭を下げるつもりなどまったくないはずの相手。

膝の上のラップを剝がしかけたおにぎりに視線を落とす。隣でごくんとご飯の塊を飲み下す音を聞いてから、私は顔を上げた。

「社長、あの……」

ペットボトルのお茶を飲み干して、社長の大きな顔がこっちを向いた。口もとにご飯粒がひとつ、ついている。こういう場面でも抜かりなくおもしろいのが、この人の罪作りなところだ。

「やっぱり脱ぎます」と言いかけたのだが、タイミングを逃してしまった。再び口ごもってしまった私から目を逸らして、「ま、たまには顔見せてやんないとな」と社長はさりげなく言った。

「いつでも遊びにきてくれよって言われてたからな。ああ、お前はいいよ。今日はもう、事務所へ帰れ。いい知らせ持って帰るから、待っててくれ」

そう言って立ち上がると、口もとに米粒をつけたまま、六本木駅へと歩いていってしまった。


六本木ヒルズから赤坂の事務所まで、とぼとぼ歩いて帰った。

「帰りましたあ」と力なく言って、玄関先で靴を脱ぐ。ふと、きちんと揃った藤色の品のいい草履《ぞうり》が目に留まる。

来客？

ぱたぱたとスリッパを鳴らして、のんのさんが現れた。

「えりかちゃん、あんたにお客が来てるわよ。珍客」

わくわくしている。私は首をかしげた。

社長室にある来客用ソファに座って待っていたのは、見知らぬ婦人だった。私が入ってくるのを見ると、すっと立ち上がり、無言で深々と頭を下げた。趣味のいい藤色の和装が、良家の婦人であることを物語っている。私のほうはわけがわからないまま、頭を下げた。婦人はうっすらと微笑みを浮かべて、穏やかな口調で語りかけた。

「お留守のところ上がりこんでしまいまして、失礼いたしました。わたくし、鵜野《うの》と申します。あの、実は、おかえりさんにお願いごとがございまして、参上いたしました」

はあ、と私はちっとも事態がのみこめず、生ぬるい返事をした。鵜野さんは、上品な笑顔で、

「そのまえに、お渡ししなければならないものがございますの」

そう言って身を屈め、ソファの上に置いてあった大きなあずき色の風呂敷包みを取り上げると、テーブルの上に置き直した。私は、鵜野さんの前に向かい合って座ると、その包みをみつめた。

尋ねると、どうぞ開けてください、というように、手のひらをかたちよく差し出した。なおも不審に思いつつ、風呂敷の結び目をほどく。はらりと開いた布の中から現れたのは、社長に買ってもらったヴィトン、全財産入りのバッグだった。

「あ！」とひと声叫んで、私は絶句した。鵜野さんはその様子を見て、いっそう微笑んだ。

「なんでしょうか」

「今週の月曜日、わたくし、乗り合わせましたの。あなたが乗っていらっしゃった千代田線に。そして、あなたの真向かいに座っておりました」

鵜野さんは、膝の上に手紙らしきものを広げて懸命に読む私を見て、（この方、おかえりさんじゃないのかしら？）と気づいたという。手紙を夢中で読んで、ひとりでうなずいたりため息をついたり微笑んだりしている私を、息を凝らして観察していたと。なんとも恥ずかしいことに、私のほうは豊田キヨ子さんのファンレターに熱中するあまり、そんなふうに誰かに見られていたことになどまったく気づいていなかった。

そして赤坂駅に到着したとき、はっとして飛び出した私のあとには、ルイ・ヴィトンのバッグが残された。鵜野さんはびっくりして、すぐに立ち上がりバッグを取り上げたが、すでに電車は動き出していた。そのままバッグを胸に抱いて、お忘れ物総合取扱所に届けなければ、と思ったのだが、芸能人だし騒ぎになってはいけない、自分で事務所へ届けてさしあげよう、と自宅まで持ち帰った。そのあとばたばたしてしまって、届けるのが今日になってしまった。この数日はさぞやはらはら過ごされたことでしょう、余計なおせっかいを働かせてしまって心からお詫びを申し上げます、と鵜野さんはあらためて頭を下げた。私は、「とんでもない」と言った。

「ほんとうにありがとうございました。このバッグ、時代遅れのヴィトンですけど、すごく大事なものだったんです。こうしてていねいに包んでお持ちいただいて、なんだか、とっても嬉しいです」

むき出しでもなく、紙袋に入れるでもなく、美しい風呂敷に包んで返してくれたことに、鵜野さんの真心がうかがわれた。鵜野さんは顔を上げて、正面から私をみつめると、

「やっぱり」

ひと言、つぶやいた。

「あなたは、わたくしの思った通りの……娘が思っていた通りの方ですわね。すなおで、まっすぐな方」

それから、何か祈るように一瞬、目を伏せた。

鵜野さんがわざわざ私の忘れ物を届けてくれたのには、何か特別な事情がありそうだ。

「お願いごと、とさっきおっしゃいましたね。何か、私がお役に立てるようなことがあるんでしょうか」

水を向けられて、鵜野さんの顔に光が差した。お願いごと、と言ってはみたものの、切り出しにくかったのだろう。少し力の増した声で、鵜野さんは「はい」と返事をした。

「旅をしていただけませんでしょうか。わたくしの娘の代わりに」

言われて、私は固まってしまった。だって、ほかにリアクションのしようがない。それほどまでに、鵜野さんの申し出は突拍子もないものだった。

「旅……ですか？　娘さんの代わりに、私が？」

鵜野さんはうなずいた。そして、ひとり娘の真与《まよ》さんが、私に旅の代理人を依頼したいと望んでいる事情を話し始めた。

真与さんは、全身の筋肉が次第に萎縮していく難病、筋萎縮性側索硬化症（ＡＬＳ）という病気になり、闘病生活を続けている。私と同い年の真与さんは、二十九歳のときに発病し、去年入院したきり、まったく外へ出かけられなくなってしまった。話すことはできるが、自力で歩いたり座ったりすることはできない。ベッドに寝たきりで、唯一の楽しみは音楽を聴いたりテレビを見たりすることだった。

鵜野家は華道「鵜野流」の家元で、ご主人である四代目家元・鵜野華伝《かでん》氏はたいそう厳しく娘を教育してきた。いずれ家元を継ぐ娘に、一流の学校へ通わせ、一流の芸術を見せ、一流の生活をさせてきた。その掌中の珠《たま》のごとき娘が難病に冒されて、家元の嘆きはどれほどだったことだろう。ありとあらゆる病院を訪ね、名医と呼ばれるすべての医者にかけ合い、新薬でも漢方薬でも、可能性があるものはすべて試してきた。けれど、やがて鋏《はさみ》どころか花一輪も握れなくなってしまう運命の娘を、父はあるときから見舞おうとしなくなった。現実から目を逸らして、仕事へ逃げこむばかりになってしまった、と鵜野さんは言う。先日も、根津《ねづ》にある鵜野流の本拠地「鵜野華道館」で、鵜野さんは家元といさかってしまい、自家用車に運転手を待たせたまま、地下鉄に飛び乗って代々木上原にある自宅まで帰ってしまったのだった。そして偶然、目の前に、毎週テレビで見ている顔が座っているのをみつけた。そう、鵜野さんは、毎週土曜の朝は必ず真与さんと一緒に「ちょびっ旅」を見てくれていたのだ。

真与さんは、「ちょびっ旅」が始まったときから毎回放映を楽しみにしてくれていて、自分はもう旅はできないけれど、代わりにおかえりが旅してくれてるみたい、と言っていたそうだ。病気になるまえは家族であちこち旅行をしたという。美しい風景を見て、古刹《こさつ》や美術館を訪ね、おいしいものを食べ、一流の旅館に泊まって最高のサービスを受けるのも、すべて教育のうち——と家元がこだわり、妥協を許さない旅でもあった。それは当然のようにすばらしい体験だったが、家族旅行であっても堅苦しさがあった。それでも、いまとなってはもうかなわなくなってしまった。

「おかえりさん、いいなあ、ってあの子はいつも言っておりました。すごくすなおで、まっすぐで、楽しそうで。見ているこちらまで、楽しい気分にさせてくれる。そんな旅をいつもしていて、いいなあ、って」

できることなら、もう一度、旅をしたいな。

おかえりみたいに、素朴な民宿に泊まって、近所の農家でとれたての野菜をその場でかじってみたい。おかえりみたいに、地元のおじさんおばさんと、いっぱい話して、わっと笑って。おじいちゃんに教えてもらってわらじを編んだり、おばあちゃんと一緒に藍染《あい》めしたり。別れるときには、季節の野花が咲き乱れる小道の向こうで、いつまでもいつまでも手を振って。

そんな旅、一度でいいから、してみたいな。このさき一生、死ぬまでかなわない、とわかっているけれど。

そんなふうに夢想していた娘が、「ちょびっ旅」が終了したと知って、どれほど落ちこんだことか。娘を元気づけようと、テレビ局に番組を再開してほしいと電話で嘆願したり、インターネットで私が登場する旅番組がほかにないか調べたり、鵜野さんは必死になった。ついには「おかえりさんの事務所を訪ねてみる」と言いだす妻に対して、家元は冷ややかだった。

そんなことをして何になるんだ。そのタレントが動けない真与の代わりに旅でもしてくれるっていうのか？　そんな商売があるとでもいうのか？　そいつは「旅屋」か？

会館で昼食を取っているときに、夫がつっかかってきた。それでケンカになった。鵜野さんはたまらずに飛び出した。地下鉄に乗った。そして、私に会った。おまけに忘れ物を拾得した。

「できすぎですね」

私は思わず苦笑した。

「ええ。神さまが、そうしてくださったとしか思えないほどに」

鵜野さんも苦笑して、そう返した。

「すぐにでも忘れ物をお届けしなければと思ったのですが、心の準備をしたかったのです。おかえりさんに何もかも打ち明けて、わたくしと娘の思いをきちんと伝えよう。その上でわたくしたち母娘たってのお願いごとをしよう、と」

鵜野さんの話は、まっすぐに私の胸を打った。そして、美しく、少し悲しい音を響かせた。旅する私を見ることを楽しみにしてくれていた人がここにもいた。その事実が、何よりありがたかった。それだけに、番組が打ち切られてしまったことが、いまさらながらにくやしくなった。

真与さんの状況を聞けば、自分の代わりに私に旅してほしい、と願うことは納得がいく。旅することで人助けになるのなら、こんなに喜ばしいことはない。真与さんが望む通りに、すぐにでも旅に出たい。番組打ち切りが決定してから二週間以上、どこにも出かけていないのだから、こっちも「旅切れ」寸前なのだ。

でも……。

「鵜野さんと真与さんのお気持ち、すごく嬉しいです。私が旅することが真与さんの元気につながるのなら、そうしてさしあげたい。けれど、あの……実は、その、もうお調べになっておわかりになっていると思いますが、私……」

全然、仕事がないんです。旅番組の仕事はおろか、ドラマのチョイ役も、ローカル局のコマーシャルですら。だから、旅に出るにも先立つものがないんです。

正直にそう打ち明けかけたとき。

すっと、濃紺の縮緬《ちりめん》に包まれた細長い包みが、テーブルの上に差し出された。私は、無言でその包みをみつめた。状況が、よくわからなかった。

「失礼かもしれませんが、お納めください」

私は、顔を上げて鵜野さんを見た。静かな微笑をたたえたままで、鵜野さんが言った。

「旅をしていただく経費、と考えていただければ。少ないかもしれませんが、これで」

その包みは、見るからに分厚かった。いや、見たこともない分厚さだった。

私の頭はたちまち混乱に陥った。膝の上の手が、かすかに震える。助かった、という声と、いやもらっちゃだめでしょこの場合、という声が、交互に耳の奥でこだまする。

その声にかぶさるようにして、鵜野さんの声、少し熱を帯びた声が響いた。

「たった一度きりでいいのです。娘のために、やっていただけませんでしょうか。──『旅屋』を」

# 3

もしもし、母さん？　私。

うん、ごめん。電話、もらってたのに、なかなか折り返し、できなくて。

そう。「ちょびっ旅」、終わっちゃったんだ。うん、まあ、理由はね……理由は……この不況でしょ、スポンサーがね。もう降りるって言われちゃったんだよ。うん、そう。もう、番組続けられないってことになっちゃって。

鉄壁社長？　大丈夫、元気だよ。そりゃあ、がっかりしてた。でも、ほら、社長は、どんなときでも乗り切ってきた「不屈の元ボクサー」だから。なんとかなるだろって、いま、がんばって営業してくれてる。そうだね、こんなご時世だから、なかなか厳しい状況ではあるけど。

おばあちゃんは、元気？　腰痛は？　ああそう、ならよかった。恵太は？　相変わらず、漁師仲間と飲んだくれてるんじゃないの？　母さんは？　パートの仕事、無理してない？

私は、元気だよ。うん、そうだね。旅は……旅は、ここのところ、してないけど。そのうちに、たぶん……うん、たぶんね。また、旅に出られるといいな。

体に気をつけてね。元気でね。みんなによろしくね。

じゃあね。また、電話するからね。


私と鉄壁社長は肩を並べて地下鉄千代田線に揺られていた。

赤坂、国会議事堂前、霞ケ関。下車する駅、「新御茶ノ水」が近づくにつれ、緊張が高まってくる。

「おい。お前、緊張してるだろ」

大手町の駅に着いたタイミングで、社長が言った。私はそっぽを向いて、

「いえ。全然」

そう答えた。「嘘つけ」とすかさず社長が言う。

「電車に乗ってからひと言ももの言わねえじゃねえか。おれとどっかへ出かけるときは、乗り物の話だとか食い物の話だとか、いつだってかますびしくしゃべくってるくせに」

「かまびすしく、でしょ」私もすかさず社長の揚げ足を取る。

「だいたいなんですか、乗り物の話とか食い物の話とかって。人を小学生みたいに」

「実際そうだろ。お前と電車に乗った日にゃ、このまえ乗った久大《きゅうだい》本線がよかっただの、その中で食った駅弁がうまかっただの、必ずそういう話題じゃねえか」

去年「ちょびっ旅」で出かけた別府・湯布院の旅のあと、確かにそんなことを話した記憶もある。それにしても、そんな細かい話題を持ち出してる場合か。

「社長が食いしん坊だから覚えてるだけでしょ」

「ああそうだよ。ったく、お前ばっかりいい思いしやがって。今回の話だって、どうせどっかへうまいものを腹いっぱい食いにいくことになるんだろ」

「何言ってるんですか。相手は名門華道の家元のお嬢さまですよ。そんなえげつないことリクエストするわけないでしょ」

「えげつないってこたあねえだろ。人間なんだ、うまいもの腹いっぱい食って何が悪い」

「だから、そういうふうにうまいものだの腹いっぱいだのって連呼するところが、えげつない、って言ってるんです」

にぎやかに言い合ううちに、新御茶ノ水に着いた。いつのまにか、緊張感はすっかり消えていた。

私たちが向かっている場所は、御茶ノ水にある大学病院。そこで待っているのは、鵜野真与さん。「鵜野流」家元のひとり娘で、二十九歳で発症してから三十二歳の現在まで、難しい病気と闘い続けている。

先週、突然事務所へやってきた鵜野千代子《ちよこ》さんは、もう何も隠さないと、とうから心を決めていたように打ち明けた。

「あの子の病気は、神経の病気なんです。脳神経からの指令が伝わらなくなり、筋肉を動かせなくなってしまうんです。それで、体中の筋肉が、舌や喉の筋肉まで、徐々にやせ衰えて機能しなくなってしまうんです。完治させる方法は、現時点ではみつかっていません」

私は、思わず息を潜めた。

ずっと以前に、テレビのドキュメンタリーで見た記憶があった。ALSという難病。

「いまはまだ声が出せますが、いずれ咀嚼《そしゃく》も呼吸もできなくなるんです。気管切開をして人工呼吸器をつけなくては、生きながらえることもできません。つまり……」

言いかけて、鵜野さんは目を伏せた。私も視線を膝の上の両手に落とした。

真与さんは、人工呼吸器をつけることを拒否しているという。

人工呼吸器をつければ二十四時間介護が必要になる。ただでさえ忙しい家族を巻きこみたくはない。意識は健康なときと変わらずはっきりしているのに、動かせなくなった体をただ横たえ続けるのは絶対にいや、と。

人工呼吸器を装着しなければ、自発的な呼吸ができなくなる。そうなってはならない。それだけは、と母は娘を懸命に説得した。けれど、真与さんはむしろ気持ちが静まり返ってしまっている。自分がいなくなりさえすれば、父にも母にも苦しい思いをさせなくて済む。だから、どうか聞き入れてほしい。最期まで自分の力で呼吸をして、自分の意思で命を費やすことを。真与さんはそう言って、弱々しい呼吸で、一日一日をどうにか生きているのだった。

ALSの患者の中には、人工呼吸器を装着し、積極的に外へ出かけていく人もいる。命を費やすのではなく、命をつなぐことが大切なのだ。絶望しかける心をどうにか自分で励まして、母は娘を根気よく説得し続けて、いまに至っている。

生きる望みを、どうあっても娘がこのさきも生きていこうと思える一縷《いちる》の希望を、と鵜野さんは必死になった。そして、思い至ったのだという。私に「旅屋」をやってもらえないだろうか、ということを。

旅行が大好きで、おかえりさんに憧れていた真与。昔、家族で出かけていった場所を、もう一度おかえりさんに訪ねてもらって、変わらない風景を娘の代わりに見てきてもらえないだろうか。そして、娘に語りかけてもらえないだろうか。きっとまた、家族みんなで一緒に旅に出かけられるよ。そんなふうに、さりげなく。

そこまで聞いて、私は文字通り絶句した。

それは、想像をはるかに超えて重い依頼だった。おおげさでなく、人ひとりの命がかかっている。安易に受けて、鵜野さんたちが望んだ通りの結果が出せなかったら……。だめだ。これは、あまりにも重過ぎる。

「経費」として差し出された分厚い包みに未練がなくはなかったが、誰かの命を背負いこむほど自分ができた人間だとは思えない。最後の審判を待つようにうなだれる鵜野さんの、白いものの目立つきちんと結った髪をみつめながら、勇気を振り絞り、思い切って言った。

「お嬢さんのことは、ほんとうに、なんと申し上げたらよいか……。お気の毒に思いますし、ご病気になられてまで私の番組を楽しみにしてくださっていたこと、心からありがたく思います。でも、私のようなものが、こんな大役……」

いまにも涙をこぼしそうにはかなくうつむいていた鵜野さんは、急に顔を上げると、強いまなざしを私に向けた。

「この依頼、お受けいただけますわね」

断るつもりの返事が、のどにはりついて出てこなくなってしまった。

「いや、あの……それは、その……」

しどろもどろに言葉を探していると、鵜野さんはまっすぐに立ち上がり、

「一生のお願いとは、このことです。どうか、どうかお願いいたします。この通り」

震える声でそう告げるなり、その場に正座をすると、私に向かって両手をつき、額を汚れた床にぴったりとこすりつけた。生まれて初めてナマの土下座を見てしまい、あわててこちらもしゃがみこんだ。

「どうか立ってください、土下座なんて」

「いいえ。お受けくださると言っていただくまでやめません」

「そんな……困ります。立ってください」

「いいえ、いやです」

「いやって……お願いですから、さあ」

と、その瞬間。

「帰ったぞお。やれやれ、常磐線は海外出張中だとさ。ったく、いいご身分だぜ」

玄関で気の抜けた声がした。ライバルの常盤千一のところへ仕事の相談に行っていた社長が、帰ってきたのだ。私はとっさに鵜野さんの肩を抱いて立ち上がらせようとしたが、テコでも動かない。バタンと勢いよく社長室のドアが開いた。

「……あ？」

床に土下座する和装の婦人と、その肩を抱く私。その両方をぽかんと眺めて、社長が言った。

「なんだ？　なんかの芝居の練習か？」

私は立ち上がって、とっさにその場を取り繕おうとした。

「社長、おかえりなさい。えーっとですね、こちらは……」

私が紹介しようとするのをさえぎって、

「おかえりなさいませ、社長さま」

床に三つ指をついて、鵜野さんはまたもや深々と頭を下げた。社長は目をまん丸くした。

「こりゃ驚いたな、三つ指ついてお出迎えとは穏やかじゃないね」

ようやくソファに座り直した鵜野さんは、今度は社長に向かって真与さんの身の上を切々と話し始めた。

病状のことばかりではない。自分と真与さんがこの数年間どんなに悲嘆してきたことか、生きている意味を失いかけるほどに苦しんでいたか、そして偶然出会った私に、再び旅に出る望みを託すことができたらどんなに嬉しいか、というような諸々を。そして、「経費」として持参した包みのことも。

どのくらいの時間、話していただろう。のんのさんが運んできてくれたお茶は、口をつけられないまま、すっかり冷めてしまった。

鵜野さんが話しているあいだじゅう、社長は両腕を組んで、だるまにでもなってしまったかのように動かなかった。が、目線はテーブルの上、ガラスの灰皿の横に置かれた細長くて分厚い包みに吸い寄せられていた。社長がこの包みの誘惑に負けず、どうか冷静に依頼内容を判断してくれますように。

切々と語った末に、鵜野さんは、少し迷いつつも切り出した。

「何よりいちばん、あの子が悲嘆していることは、あの子の父親との関係です」

鵜野流四代目家元・鵜野華伝。娘の病状に絶望して、病室を訪れなくなってしまって半年が経つ。夫人が娘を見舞ってほしいと嘆願しても、顔を背けるばかりだという。

「娘にとっては厳しい師匠でもありましたが、この世にたったひとりの父親です。尊敬し、慕う気持ちは健常だったときよりもずっと強いのでしょう。家元の仕事の邪魔をしたくない、煩わせたくないと、いつも言っているのですが……」

咲き誇る花々を求めて、日本じゅう、美しい風景の中へ、父と母と旅をした日々。

もう、家元と旅をすることもないんだよね。旅どころか、会うことも。

さびしそうな瞳で真与さんが言うたびに、母は病室を出て涙を流した。

真与さんが成人してからは、家元は娘に「お父さん」と呼ばせず、「家元」と呼ばせていた。全国に何十万人といる弟子の、やがては総帥となる娘を厳しく律し、花の心を感じ技を磨かせるために旅へ連れ出した。この十年は、父というよりもあくまでも師匠として接してきた。娘もそれによく応え、黙って師匠につき従った。

けれど、なんと意地っ張りな家族だったことか。娘が病に冒されて、初めて鵜野さんはそう気づいたという。

もっとすなおに喜んだり楽しんだり、つらいときには我慢せずにつらいと言える関係だったなら。こんな状況になってすら、父と娘は意地を張り合っている。「会いたい」とも「会いにいくよ」とも言えずに。

話に聞き入るうちに、私は、自分の気持ちがどんどん落ちていくのをどうすることもできなかった。

鵜野さんの事情や気持ちを聞けば聞くほど、「旅屋」なんてこの私にできるはずがない、と思わされてしまった。旅番組の収録とはあまりにもかけ離れている。ディレクターの指示も台本もない。カメラに向かって「おかえり、超・気になるっ！」とにっこり笑えば視聴者が喜ぶ、なんてレベルじゃない。だいいち、旅をしたところでその感じをどうやって病室の真与さんに伝えたらいいのか。地図を見せて写真を見せて、はい、おっしゃる通りのところへ行ってきました、と報告すればいい、なんてはずがない。

「ご事情はよくわかりました」

鵜野さんがひと息ついたタイミングを逃さずに、社長が言った。その言葉を聞いて、ああやっぱり社長も事の大変さを理解したんだ、と思った。いまではもうそんなこともなくなってしまったが、難しい仕事や私のイメージに合わない仕事の依頼の説明を受けたあと、社長は決まって言うのだった。「お話はよくわかりました」「ご事情はよくわかりました」と。そして続ける、「その条件では、このご依頼、受けかねます」と。

　社長は一瞬閉じたまぶたを開くと、朗々とした声で告げた。

「このご依頼、お受けいたします」

　私は、ソファから転げ落ちそうになった。

「ちょっ……何言ってるんですか社長⁉」

　私の悲痛な声がまったく聞こえなかったように、鵜野さんが「ありがとうございます！」と間髪容《い》れずに頭を下げた。

「これで……これで娘も、生きる希望をつないでくれるはずです。ああ、すぐにあの子のところへ報告しにいかなくっちゃ。社長さん、おかえりさん、ほんとうにありがとうございます」

　着物の袖で、そっと目頭を押さえている。私は焦りまくった。

「いや、あのですね、事務所の意向は別として、私の意見も聞いていただきたく……」

「いいからお前は黙ってろッ」社長のダミ声が飛んできた。私は、いつものごとく反射的に頭をすっこめた。社長は両手を膝につくと、身を乗り出すようにして、鵜野さんに向かって言った。

「ただし、二、三の条件があります。それをご了承いただけるのであれば、この仕事、お引き受けいたしましょう」

社長はすっかり仕事の依頼を受けるモードになってしまっている。私はハラハラを加速させた。鵜野さんのほうも、やや前のめりになって応える。

「はい、もちろんです。どのような条件でしょうか」

いまなら「ギャラは一千万円」と言ってものみそうな勢いだ。とんでもない条件を出しはしまいかと、私のハラハラメーターの針は振り切れそうになる。夫人の目を見定めると、社長ははっきりとした口調で言った。

「まず、おかえりを、あなたの大切な娘さんに会わせてやってください」

ハラハラメーターの針が、ピタリと止まった。鵜野さんは、少し意外そうなまなざしを社長に向けている。社長は、ふっと微笑を口もとに寄せた。

「この仕事の依頼主は、あなたじゃない。真与さんだ。だったら、依頼主の意向をまずじっくり聞かなければ何も始められません。違いますか？」

鵜野さんは、かすかに熱を帯びた声で「いいえ。おっしゃる通りです」と答えた。よろしい、とばかりに社長がうなずく。

「いつ、どこへ、どういう手段で、どういうルートで、どんなふうに旅してほしいのか。そして、それをどういうかたちでご報告すれば、真与さんが満足されるのか。そのすべてを、真与さんご本人に直接確認させていただきます。いいですね？」

はい、と鵜野さんが答える。涙声だった。私は、もう何も言うことができずに、ふた

りの様子を見守っていた。社長は、ちらりと私に目配せしてから、

「それから、『経費』についてですが……」

わらじのような右手を出して、例の細長い包みをつかむ。そして、自分の上着の内ポケットに入れるかと思いきや、鵜野さんのほうへ押し返した。

「これはいただけません」

鵜野さんと私は、えっ、と同時に社長を見た。社長は咳払いをひとつすると、「いまはまだ、いただけません」と言い直した。

「こいつが旅をして、真与さんに報告をしてからいただくことにいたします。金額は、そちらさまでお決めいただいて結構です。そして、もしも真与さんの満足する旅ができなかったら、報酬はいっさい頂戴いたしません」

そうきっぱり言い切ってから、

「あ。でも、最低限、必要経費はご負担くだされればありがたいです」

また言い直した。鵜野さんは、「当然ですわ」とすぐさま応えた。

「よし。じゃあ決まりだ」

社長は、ぽんと勢いよく自分の膝を叩いた。商談成立の瞬間の、いつものリアクション。ひさしぶりに見た気がする。私のほうもこれを見ると、さあやるぞ、って気分になるのだ。

「どうぞよろしくお願いいたします」

鵜野さんは、もう一度、深く深く頭を下げた。名門華道の家元夫人らしい、心のこもった美しいお辞儀だった。

「いえいえ、こちらこそ、よろしくお願いいたします」

社長も礼を返した。岩がごろんと転がるような、ぶかっこうなお辞儀。なんだかおかしくなりながら、私も頭を下げた。

気がつくと、私は、このまったく新しい仕事──旅代理人、「旅屋」を始めるべく、最初の一歩を踏み出してしまっていた。


新御茶ノ水駅からほど近い大学病院の五階。特別室のあるフロアの廊下は、消毒液のにおいにまじって、かすかに花の香りが漂っていた。

鵜野夫人、そして真与さんと、打ち合わせも兼ねたお見舞いだったが、社長も私も手ぶらだった。切り花を持っていこうかと思ったのだが、何しろ相手は鵜野流の跡取りだ。ヘタに花など持っていったら恥をかくかもしれない。食べ物は制約があるとのことだし、旅の本など持っていったらなんとなく嫌みな感じだし。結局、「お前の顔を見せてやるのがいちばんだろ」と社長の言葉に励まされ、ここまで来たのだった。

花の香りは案の定、真与さんの病室があるいちばん奥に近づくほど強くなった。ドア横の名前を確かめてから、「失礼します」と、そろりと半開きのドアを開ける。

「まあ、萬さん、おかえりさん。ご足労ありがとうございます。お待ちしておりましたわ」

今日はベージュのブラウスにツイードのスカートを身につけた鵜野さんが、すぐにドアのところへとやってきた。鵜野さんの背後、室内の真ん中に置かれたベッドが見える。その上に横たわる真与さんの姿があった。

ベッドの上で上半身を少し斜めに起こしている真与さんは、正面をじっと見据えている。鼻と口は酸素吸入のマスクでおおわれ、ベッドの周辺にはさまざまな機械が配置されていた。室内を埋め尽くすほど花が活《い》けられているんじゃないか、と想像していたが、実際は花一輪も見当たらない。それでいて、花の香りが色濃く漂っている。ルームスプレーでもしてるのかな、と思いつつ、殺風景な個室の中へ私たちは歩み入った。

「真与。おかえりさんと、事務所の社長の萬さん。旅に出るまえに、わざわざあなたに会いにきてくださったのよ」

私たちはベッドの傍らの椅子に腰かけた。顔を見てやってくださいな、と鵜野さんに促されて、私は少し前屈みに真与さんの顔をのぞきこんだ。

「はじめまして、真与さん。丘です」

真与さんの目、きらきらと潤んだ目が、微笑んだように見えた。鵜野さんがマスクを外すと、少し苦しそうな声が聞こえてきた。

「ほんとうに来てくれたんですね。嬉しい」

そのひと言で、圧縮されていた気持ちが一気に軽くなった。

「はい。私もお会いできて、すっごく嬉しいです」

心からそう返した。真与さんの瞳が微笑んだ。

「私の代わりに旅をしてくださるんですか」

「はい、喜んで。いったいどこへ、どんなふうに旅をすれば、真与さんに喜んでいただけるか。今日は、その打ち合わせに来ました。真与さん、行き先はもう決めましたか？」

「はい。家族で最後に旅したところ。ひとつだけ、心残りなことがあったので、それを見にいっていただきたいのです」

社長と私は、一瞬、顔を見合わせた。

心残りなこと？

「病気が発症する直前に、家元と母と、桜の名所へ行きました。その翌春にニューヨークで『鵜野流』の大きな発表会があり、春の花をテーマにするつもりだったので、満開のしだれ桜を見にいったのです」

青空の下、春風に揺らぐやわらかでやさしい桜のイメージを、作品にしたかった。

けれど、満開の桜は、私たちを待っていてはくれませんでした。私たちが訪れた日は、散々な雨と、花が散ったあとの空っぽの枝ばかり。せっかくスケジュールを合わせて一緒に行ってくれた家元は機嫌が悪く、雨に濡れる花のない桜の枝を見るなり、「帰るぞ」といま来た道を戻っていってしまったんです。

母も、私も、雨に打たれた桜の木になってしまったように、さびしくみじめな気持ちで、その場を後にするしかありませんでした。

その頃には、すでに歩くのがなんだかおかしくて、すぐに何かにつまずいては転ぶことが多くなっていました。そのときも、家元の後ろを追いかけようとして、ぬかるみの中に転んでしまったんです。

けれど、家元はどんどん先へ行ってしまう。待ってください、と母が叫んでも、振り向きもしませんでした。母と私は、ふたりきり、雨に濡れて、泥まみれになって……。

駅で待っていた家元は、泥だらけの私の姿を見るなり、言いました。

お前は、こんなものを見せるために、私をここへ連れてきたのか？

雨の中の花が散った桜ほど、みじめなものはない。お前はそれをわざわざニューヨークまで行って活けるというのか。そんなものは、鵜野流の花とは呼ばせない。

重苦しい空気の中、私たちは新幹線に乗って東京へ帰りました。私の心の中は、悔しさの炎が燃え立っていました。なんとしても美しいしだれ桜をニューヨークで活けてみせる、父の失望を消してみせる、私への期待に応えてみせる、と固く誓って。

それなのに……かないませんでした。

旅から帰ってきてまもなく、私は歩行困難になり、その一ヵ月後、ALSと診断されたのです。

ニューヨークへも、あの桜の名所へも、もう二度と行けなくなってしまった。

心残りなのです。春が巡りくるたびに、きっとあの町いっぱいに桜が咲き乱れているはずなのに、もう決して見ることはできないかと思うと。

家元と、母と一緒に、もう一度訪ねたかった。いまを盛りに桜が咲き誇る、あの場所を。

だから……。

ゆっくりゆっくり、ときおり酸素吸入をしながら、時間をかけて、真与さんは気持ちのすべてを語ってくれた。真与さんの言葉のひとつひとつには、命の重みがあった。やさしい母への深い想いがあり、花を求める狂おしい情熱があった。そして、跡取りの娘に厳しく接し続けた家元への敬慕はあっても、怒りは少しもなかった。病気への恨み言も。

ままならぬ病を抱えてしまったことからもはや逃げずに、真与さんは事実をしっかりと受け止めている。そして、いったいどうしたら自分の果たせなかった想いに決着がつけられるのか、考え抜いた結果、私に「旅代理人」を依頼したのだ。

私はというと、真与さんの話を聞くにつれ、逃げ出したい自分がいることを痛いほど感じていた。

生きることの意義に真正面から向き合っている同い年の真与さんとはくらべものにならないほど、私は小さい人間だ。些細《ささい》なことでもすぐにヘコんでしまうし、生活力はないし。「故郷に錦」はいまだ飾れず、ふるさとへ帰るのもままならない。真与さんとは、あまりにも器が違い過ぎる。

けれど、人間として私よりもずっと大きい真与さんが、私に旅してほしい、と願っている切実さは、胸に迫るものがあった。そして、こんな私を切実に必要としてくれる人がいることに、真摯《しんし》に、静かに感動した。

真与さんの想いに応えられるだろうか。病院を訪れるまえから胸中に宿っていた不安は、少しずつ、真与さんのまっすぐな瞳、正直な言葉によって、化学反応を起こしていった。

真与さんの混じり気のない想いに、応えたい。

ひと通り話が終わると、鵜野さんの告白を聞いていたときと同じように、両腕を組んで沈思黙考していた鉄壁社長が、「ちょっと失礼」と席を立ち、廊下へ出ていってしまった。このタイミングでトイレはないでしょ社長、と文句を言いたくもなったが、私は、壁に掛かっているカレンダーをちらりと見てから、鵜野夫人に向かって囁《ささや》いた。

「満開の桜、とおっしゃっていますが……今日、四月二十三日ですよね。関東周辺の桜は、とっくに散ってしまっていますけど……」

鵜野さんはにっこりと笑顔になって、

「どうぞ真与に向かって話してやってください。体を動かせない分、聴覚、嗅覚はびっくりするほど鋭くなってますの。こそこそ話していても、全部聞かれてしまいますわよ」

そう言われて、あわてて真与さんのほうへ向き直った。

「真与さん。この時期に、桜が咲いているところって、どこですか？」

鵜野さんがもう一度マスクを外す。真与さんは、夢を見るような顔になって言った。

「……角館《かくのだて》」

「角館？　秋田県の？」

真与さんの瞳が、かすかに微笑んだ。

角館。日本随一のしだれ桜の名所だ。まだ行ったことはなかったが、町のあちこちに現存する武家屋敷の黒塀の向こうから優雅にしだれ桜が枝を垂らす写真を、駅貼りのポスターか何かで見たことがある。そういえば、今年前半の「ちょびっ旅」のスケジュールのロケリストに入っていた。番組が続いていたならば、ちょうどいま頃取材に行くはずだったのだ。

私はもう一度、カレンダーを見た。ゴールデンウィーク直前が見頃だから、と番組ディレクターの市川さんが言っていたのを覚えている。ってことは、桜の開花状況によっては、明日にでも出かけなくちゃ間に合わない。いや、それどころかもう散り始めているかもしれない。昨今の温暖化で、東京の桜も例年より早く咲いているんだから。

そこへ社長が携帯を手に戻ってきた。そして、まっすぐに真与さんのベッドへ歩み寄ると、明るい声で言った。

「真与さん。角館の桜、この週末が満開だそうですよ」

あれっ、と私は驚いた。

「なんでわかったんですか、角館だって」

「そりゃお前、日本人ならぴんとくるだろ。しだれ桜の名所で、新幹線で行けるとこったらそこしかねえよ。なあ、真与さん？」

社長は私のロケに同行したことは一度もなかったが、いつもこれから行くロケ先について事前に調べていた。けっこう、勉強家なのだ。

「じゃあネットで調べたんですか？　開花情報」

「いや、それはあれだ、おれはネットってのがどうも苦手だからな。のんのに電話して、角館町観光協会に電話して確認してもらった。いま、七分咲きだそうだ」

鵜野さんと私は、思わずため息をついて顔を見合わせ、微笑んだ。私は真与さんの顔をのぞきこんで訊いた。

「じゃあ、この週末、角館を中心に回ってきます。特に見てくるものは桜、ですね。ほかには？」

真与さんが、嬉しそうな声で答える。

「なんでも。おかえりさんが、すてきだと思ったものはなんでも」

「わかりました。じゃあ……旅のプランは社長と私で考えます。どこをどう回ったかは、行ってきてのお楽しみでいいですか？」

「はい」

「食べたいものは？」

「比内《ひない》地鶏。あと、生もろこしも。楽しみにして行ったのに、結局食べずに帰ってきちゃったので」

「足を延ばして、温泉はどうですか。確か、田沢湖のそばに秘湯があったような」

「ああ、いいな。行きたいです、とっても」

「ってお前が行きたいだけだろうが」すかさず社長に横から頭をつつかれてしまった。

私が肩をすくめると、背後で鵜野さんがくすくす笑う声がした。

「ご報告は、どんなかたちでするのがいいですか」

「ビデオがいいです。『ちょびっ旅』みたいに、おかえりさんが見たもの、体験したこと、感じたこと、映像にしてきてくださったら」

私は、そこでふと考えこんだ。

ビデオか……。

こっちは映るのが専門だったから、映すのは正直得意じゃない。っていうか、ビデオカメラなんて触ったこともない。これは、どうしたものか。真与さんの状況を考えると、やはりいっぱいに咲いている桜を映像に撮ってくるのがもっとも満足してもらえる報告の方法だろう。それは疑う余地はない。でも……。

私が考えを巡らせていると、横から社長が声をかけた。

「大丈夫ですよ。こう見えても、おかえりは映像のプロなんで。映すほうじゃなくて映るほうだけどね」

社長の言葉を聞いて、真与さんの唇が動く。

「映すだけじゃなくて、おかえりさんも映ってほしい。テレビみたいに、その場でレポートしてくださいますか」

難題を持ち出されてしまった。つまり、私以外にカメラマンが必要だ、ということだ。

「どうしよう。安藤さんに同行頼もうかな」

番組のカメラマン、安藤さんの名前をつぶやくと、「何言ってんだ。あいつはけっこうギャラ高いんだぞ」と、即却下されてしまった。

「えりか。思い出してみろ、『ちょびっ旅』の最後のナレーションで、お前、いつもなんつってた？」

社長に言われて、私は頭の中で台本を広げた。


今日もちょびっとちょびっ旅、いかがでしたか。

ほんと、旅って不思議ですよね。

出かけてみると、いろんな発見がある。新しい出会いがある。

出かけてみなくちゃ、何が起こるかわからない。

だから、とにかく出かけてみませんか。心の洗濯、ひと休み。

それでは皆さん、ご一緒に。

旅に出ようよ、明日から。

いいことあるよ、大丈夫！


「『出かけてみなくちゃ、何が起こるかわからない』？」

そう口にすると、

「そこじゃねえよ」と、社長が返した。

「『いいことあるよ、大丈夫！』。だろ？　な、真与さん」

真与さんの瞳に、みるみる光が広がった。傍らに佇む鵜野さんの目はうるんでいる。紅を差したように明るくなった真与さんの顔をみつめるうちに、私の心は、すっかり決まった。

よし、決めた。

花一輪も咲いていない、殺風景な病室。いまは真与さんの世界のすべてになってしまっているこの部屋を、春の花の空気でいっぱいにするんだ。

いってきます、真与さん。——とりあえずは、あなたの代わりに。

胸の中で、わたり鳥がにぎやかにはばたき始めるのを感じていた。もう一度、旅の空へと飛び立つ心の準備は、もうできていた。

# 4

東京駅、七時三十六分発「こまち3号」秋田行きの乗車口付近で、「じゃあ、いってきます」とホームを振り返る。

「おう、いってこい。気ぃつけてな」

がっちりと太い両腕を組んだままで鉄壁社長が応える。

「言っとくけど、こんなふうにわざわざ見送りなんざするのは、今回が最初で最後だからな。この『旅屋』は、うちにとってもニュービジネスだ。きっちりお役目果たしてこないと、もう事務所の敷居はまたがせねえぞ」

「はいはい」と私はため息をついた。

「わかりましたってば。昨日からおんなじこともう二十回以上聞かされてるし」

「それだけ心配してるってことよ。親心ってやつ？　ありがたく受け止めときなさい。はい、これ朝ご飯の差し入れ」

社長の隣に並んでいたのんのさんが、いつも持ち歩いている大きなエコバッグからハート模様のクロスで包んだお弁当箱らしきものを取り出して渡してくれた。わあ、と思わず歓声を上げる。

「もしかして、いま東京駅エキナカで一番人気の浅草今半《あさくさいまはん》・牛肉弁当ですか。一度食べてみたかったんだあ」

「馬鹿ねえ、あんた」と、今度はのんのさんがあきれてため息をついた。

「いまのうちの財政事情でそんな豪華なお弁当買えるわけないでしょ。だいいち、まだ今半は開いてないっつうの」

「え？　じゃあこれは……」

「もちろん、旅の縁起担ぎ・のんの特製ラヴ弁当よン」

ウインクしてみせた。なんでも、あまたの芸能関係者をメロメロにした伝説の「魔性弁当」だとか。ちょっと血の気が引いたが、ありがたく押しいただく。

『こまち3号秋田行き、まもなくドアが閉まります。お見送りの方は白線の内側までお下がりください』

発車のチャイムが鳴り響き、ホームにアナウンスが流れた。「おおっと、乗れ乗れ。早く」と社長に背中を押された。それから、遠ざかるふたりに向かって元気よく手を振ってみせた。

とうとう帰ってきたのだ。旅の真ん中に。そして、いよいよ始まったのだ。前代未聞の旅代理業「旅屋」が。

　そういう仕事がはたしてこの世にあるのかどうか、鵜野さん母娘の依頼を受けてから、鉄壁社長は徹底的に調べたようだ。はたして、旅行代理店というものはこの世にごまんとあれども「旅代理業」というのは見当たらない、といっていいらしかった。「墓参り代行」とか「法事代理出席」とかいうのはあるらしい。しかし、旅そのものを誰かに代理で行ってもらうというのは「世界的に見てもかなり珍しいぞこりゃあ」と社長はうなった。

　旅ってのは自分で行ってナンボのもんだ。他人に任せた時点で、そりゃもう旅とはいえなくなるのかもしれない。

　それでも、わけあって「誰か」に旅してもらいたい人間も、広い世の中にはいるかもしれないだろ？

　しかも、「誰か」じゃなくて、「旅の達人＝おかえり」に特別な旅をしてもらいたいって思う御仁がさ。

　えりか。ひょっとすると、この企画、お前の人生を変える大ヒットになるかもしれねえぞ。

　出発まえに、さんざんそんなことを言って興奮していた。「旅屋」で特許を取るだの商標登録するだの、とんでもないことまで言い始めたのであわてていなした。だって、この旅が鵜野さんのひとり娘、病気でベッドに臥している真与さんを満足させるものにならない限り、経費以外はびた一文受け取らないなんて見得を切ったくせに。

とにかく、いまの私は、ビジネスだの特許だの大ヒットだの考えず、真与さんの目になり耳になり、真与さんの感性にぴったりくるような繊細で華麗な満開の桜の世界をレポートすることだけに気持ちを集中させなくちゃ。

座席に落ち着くと、バッグから携帯電話を取り出し、フラップを開ける。昨夜からもう何回、こうしてチェックしただろうか。角館の今日のお天気と桜情報。

秋田・角館地方　おおむね晴れ、ときどき曇り　桜　満開、やや散り始め

「っしゃっ！」

思わずガッツポーズ。キタキタッ、こうでなくちゃ。

実は私、「ちょびっ旅」時代から都市伝説化されていたのだ。そう、おかえりが旅をするとその地方は必ず晴れる。「大事なイベントでなんとしても晴れにしたいときにはおかえりを呼べ」などとディレクターの市川さんをして言わしめたこともあるくらいなのだ。五年間、百二十回を数えるロケでざあざあ降りの雨に遭遇したことはただの一度もない。鵜野さん母娘も二百四十回を数える番組のほぼすべてを視聴して、「一度も傘

をさしてないわね」と不思議がっていたという。どこへ行ったときに傘をさして登場するか、ふたりで賭けまでしていたらしい。結局、最後の放映まで、私は番組中一度も傘をささなかった。そんなわけで、鵜野さんも真与さんも、超絶晴れ女の私が行くからには、今回の旅も必ずや晴れるであろうことを期待してくれている。

きっときっと、青空の下、いっぱいの光の中、満開の桜を見てきてくださいね。おかえりさん、一緒に太陽を連れていってくださいね。

真与さんは、私にそう言った。遊園地へ連れてってとねだる少女のように。

真与さんの望んでいるのは、ただひとつ、青空に乱れ咲く満開のしだれ桜。まあついでに名物の比内地鶏とか生もろこしとか、田沢湖近くのはちみつの店とか、近辺の秘湯とかもオプションで付けてもいいですよ、ってことなんだけど。やっぱあれかな、「山のはちみつ屋」でははちみつロールケーキよりシュークリームなのかな？　ついでにはちみつアイスクリーム食べてもいいよね？

いやいやいやいやいや、じゃなくて。そうか私、いまお腹《なか》減ってるんだ。だから余計なこと考えちゃうんだな。なんせゆうべは遅くまで打ち合わせだったし、今朝《けさ》は早かったから朝ご飯も食べずに出てきちゃったし。そうだ、「のんの特製ラヴ弁当」食べなくちゃ。

膝の上でハート模様の包みをほどく。でっかいタッパーが現れた。なんじゃこりゃ、高校球児の弁当みたいだな、と思いつつふたを開ける。

のんの特製ラヴ弁当。その全貌は、ぎっしり詰めこまれた白飯。そして、これでもかッとばかりに梅干しがど真ん中にハート型にのっけられているシロモノだった。


あれは、一昨日の夜のこと。

悩んだ末に、私は電話をかけた。かつて「ちょびっ旅」の番組クルーだったフリーのカメラマン、安藤さんに。色々考えた結果、やっぱりここは安藤さんにお願いするしかない、という結論にいたったのだ。

真与さんにリクエストされた「旅の成果物」は映像でのレポート。しかも、私自身がカメラの前に立って角館をレポートしてほしい、というもの。ところが私は生まれてこのかたビデオカメラというものを触ったことがない。カメラというものは、にっこり笑いかけるものだとつい最近まで思っていた。それをいきなり「自分で自分を撮る」なんて難易度が高すぎる。「簡単に撮れるハンディカメラがうちにあるぞ」と社長が言うので期待していたら、社長室の隅っこにうずたかく積まれた箱の中から、ものすごくデカくて重い旧式のカメラを取り出してきた。

「ほら、担いでみろ」社長は軽々と差し出したが、

「全然ハンディじゃないですよこれ⁉」と肩にのっけたカメラに押しつぶされそうにな

って叫んだ。

「まったくもう、神輿《みこし》かと思いましたよ」と文句を言うと、

「神輿はないだろ。金庫ぐらいにしとけ」と社長が言う。そんなもん担いだら泥棒だ。

「だいたいこれ、デジタルじゃないでしょ？」

「あ？　そうだな、ビデオテープのやつだ。『ベータ』の」

私は一気に脱力した。「ブルーレイ」とかじゃなくて、「ベータ」って。

「しょうがねえだろ。うちは出演させるほうが専門、撮るのは別の専門家に任せっきりだったんだから」

こうなったら、レンタルしてくるしかない。けれど、カメラはどうにかなるとして、どうやって撮ったらいいんだろうか。

「やっぱり安藤さんに相談してみようかな」

そうつぶやくと、すぐに「やめとけ」と社長が言う。

「順太は売れっ子だぞ。もうお前の相手なんざしてられねえさ。迷惑かけるからやめとけ」

もっともな意見だった。レポートものでの安藤さんの腕前には定評がある。「ちょびっ旅」には安いギャラで長いこと付き合ってくれたのだ。手間のかかるわりには実入りの少ないレギュラーの旅番組など、終わってしまってほっとしているかもしれない。以

前から安藤さんの手が空《す》くのを待っていた各局の番組制作会社がこぞってオファーをしているとも聞いた。確かに、「ビデオってどうやって撮るんですかあ?」などと、小学生並みの質問をする相手じゃない。

考えてみると、「ちょびっ旅」は、いろんな意味で恵まれた番組だった。

ディレクターの市川さんは、あけぼのテレビの子会社の番組制作会社「ぼの7《セブン》」で、多くの番組を制作していた。私みたいな末端のタレントなんかじゃなくても、市川さんと組みたがっているタレントはたくさんいると聞く。手のかかる旅番組がようやく終わってやれやれと喜んでいるかもしれない。

ヘアメイクのみっちゃん、スタイリストのミミちゃんも、もはや売れっ子だ。「ちょびっ旅」に関わり続けた五年間に仕事の幅も広がり、量も増えた。ふたりとも所属事務所から独立して自分の事務所を立ち上げ、複数のスタッフを抱えている。懲りもせずに私の旅によく付き合ってくれた。

ADの奥村君も、ほんとうにできる男子だった。旅の手配もロケハンも弁当の買い出しも、少ない予算の中でやりくりしてくれた。うちのマネージャーが辞めてしまってからは、ロケ先で私のマネージャーのような役まで買って出てくれた。ディレクターに昇格するのはもうまもなくだろう。

にぎやかな旅芸人の一家のようだった、「ちょびっ旅」のファミリー。

番組を終えて、みんなはばたいていったのだ。——私以外は。

その私も、ようやく文字通り新しい旅立ちのときを迎えたのだ。自分でなんとかしなくちゃ、笑われちゃう。

そう思いつつも、私の指は携帯電話のキーを押して安藤さんに電話をかけていた。

「旅屋」なる仕事を新たに始めたことに関しては、依頼主に関する守秘義務もあるので、詳しいことは話せなかった。ある人物の依頼を受けて角館に桜を見にいく、その様子を自分で撮りたい、とごく簡単に説明して、ついては簡単な撮影テクを伝授してほしいとお願いした。はたして、安藤さんは『電話では説明しにくいから、明日の夜九時にうちの事務所へ来れるかな？』と言ってくれた。使っていないハンディカメラを貸してくれるとも。細かいことは訊かずに受け入れてくれた安藤さんの親切に、ただただ感謝した。

旅立ちを翌日に控えた夜九時、私はひとりで六本木にある安藤さんの事務所を訪れた。

番組打ち切りのごたごたで、いままでお世話になったお礼にも出向かなかった。自分の不義理が急に恥ずかしくなったけれど、まるできのうロケで一緒だったかのように、安藤さんは気安く迎え入れてくれた。

「よお丘ちゃん。嬉しいね、こんなむさ苦しいところへ来てくれるなんて。しかもおれが直々にカメラテクを伝授できるとはね。この業界でちょっとは永らえたご褒美だな、こりゃあ」

マンションの一室がパーティションで仕切ってあり、その手前に打ち合わせテーブルがあった。その前に座ると、安藤さんはいつものように楽しげな調子で話しかけてきた。私はすっかり恐縮してしまった。

「授業料もお支払いできないのに、図々しいお願いしてしまってすみません」

「何言ってんだよ、そんなことはいいって。それより、おもしろそうだね。その『旅屋』とやらは。また例のごとく鉄壁さんの思いつきで？」

「いや、なんていうか、ものすごく偶然の成り行きです」

依頼人の名前と病名こそ口にしなかったけれど、重篤な病気に冒されている女性とその母親が、ずっと「ちょびっ旅」を見ていて、自分たちの代わりに私に角館を旅してほしいと依頼してきたことを打ち明けた。最後に家族で旅行した角館が雨降りで、さんざんな思いをして帰ってきたことも。だから、彼女のために、なんとしても満開の桜を美しく撮って見せてあげたい、と思っていることも。

安藤さんは両腕を組み、黙って私の話に耳を傾けてくれた。ひと通り説明を聞き終わると、「なるほど」とため息をついた。

「その人たちのために、旅人・おかえりが一肌脱ぐ、ってところだな」

脱ぐ、という言葉にやや敏感になっている私は、「そんなんじゃないですけど」と赤くなってしまった。

安藤さんは、笑顔になると、

「うん。いいね」

ひと言、言った。それは、いい画《え》を撮れたときの、安藤さんのいつもの口癖だった。

「いいね、すごくいい。なんだかいま、おれ、画が見えたよ。すかっと抜けた青空、ふわっと揺れるしだれ桜、その前に立って、笑ってるおかえり」

腕を組んだままそうつぶやいてから、急にぱっと顔を上げて、「なあ？　見えただろ」と、パーティションの向こうに向かって声をかけた。

「見えた～っ！」

いきなり声が上がった。私はぎょっとして思わず立ち上がった。パーティションの向こう側からいくつもの顔がひょこっとのぞいた。私は「ああっ⁉」と心底驚きの声を出してしまった。

市川ディレクター、ヘアメイクのみっちゃん、スタイリストのミミちゃん、それにADの奥村君。なんと、「ちょびっ旅」ファミリー全員が集結している。私は、うわあっと飛び跳ねてしまった。

「なんでなんで⁉　ファミリー全員いるっ！　なんでいるの⁉　ねえなんでっ⁉」

「なんでって、順太が声かけたに決まってるだろ」

あんまり私が飛び跳ねるので、市川さんも体を揺さぶって笑いながら答えた。

「なんかおかえりさんがおもしろいこと始めたぞって。自分、がまんできなくなって、ディレクターにくっついて仕事抜けてきちゃったんス」

　奥村君がわくわくと言う。忙しくロケ準備をしているときの、それでも旅が始まるのが楽しみでならないときの口調だ。みっちゃんとミミちゃんが「あたしたちも〜」と声を合わせる。

「ひとりで旅に出るって聞いて、しかも自分で撮るカメラに自分で映んなきゃなんないらしい、って聞いて。そりゃ無理だろ！　って。眉毛《まゆげ》の描き方も春っぽいコーデも、なーんにも知らないいんだからねえ」

　くすくす笑いながら、ミミちゃんが特大のボストンバッグのジッパーを開ける。

「そう思って、ほら。あたしの私物だけど、青空と桜の花に映えそうな服と靴、小物も。持ってきたよ」

　取り出したのは、萌黄《もえぎ》色の軽やかな薄手のセーターに、白いスプリングコート。みっちゃんはメイクボックスを開けてみせた。

「あたしはこのさい、メイクをがっつり伝授するから。旅先で、自分でちゃんときれいに顔、作れるように」

　その時点で、私はもう、涙がこみ上げてくるのを感じていた。それを知ってか知らずか、市川さんがとどめに言った。

「どうせ、へんちくりんなシナリオ頭ん中で作ってるんだろ？　あとで編集してきっちりいい映像にするために、どんなふうに旅して回ったらいいか教えといてやるから」

「それでは、『旅屋おかえり・角館編』会議入ります！」

そう元気よく声をかけて、奥村君がテーブルの上に大きな地図を広げた。角館の地図だった。「桜絶景ポイント」「グルメポイント」「撮影ポイント」と、細かくマークされている。いつもそうしてくれたように、ちゃんと調べ上げてきてくれたのだ。

おおいかぶさるようにして、私はその地図をのぞきこんだ。ためていた息を放った拍子に、ぽたぽたっと涙がこぼれて、地図の真ん中、「武家屋敷のしだれ桜」と書いてあるサインペンの文字の上に落ちてしまった。あわててそれを指先でこすって、消した。その指でほっぺたをこすったら、みっちゃんミミちゃんに、ヒゲ付いてるよ、と笑われた。

「旅芸人」の家族。いまはもう、ずっと彼方《かなた》に遠ざかってしまっていた。

けれどまた、こうして集まってくれた。ひとりで旅立とうとする娘を励まし、知恵を与え、着飾らせて送り出すために。

その夜、私たちは大いに騒いだ。カメラを回し、シナリオを書き、地図をマークし、メイクして、コートや靴を試着して。出前のピザを頼んで、ワインを開けて、思う存分あれこれ話して。

いつも思う。旅が始まる前夜は、どうしてこんなにわくわくするんだろう。

ひょっとすると、このわくわく感こそを味わいたくて、私たちは旅を続けてきたのかもしれない。


「それでさ、うちの舅《しゅうと》、どうしたと思う？」

「何なに、どうしたのどうしたの？」

「あんたはおれを殺そうとしてんのか、って言うのよ。あんたはおれのパンツの中に針を仕こんだだろ、って。だからアソコがちくちくするんだ、どうしてくれるんだ、って言うのよ」

「何それ⁉　完全にボケちゃってんじゃない？」

「そうなのよ！　だからあたしも意地になって、そんならこんりんざいおむつ替えいたしません、って言ってやってさ。くやしいからダンナに、あと頼むわ〜って言って出てきちゃった。ちゃんと面倒みなさいよ、あんたのお父さんでしょ、ってさ。ザマミロ、あっはっは」

「あっはっはっはっは」

やめてください お母さん。それ以上おじいちゃんをいじめないで。

あやうく口を出しそうになった。実際にはひたすら寝てるふりをしていたのだが。

こまち3号、通路をはさんで私の並びの座席に陣取ったふたり連れのおばさんは大宮駅から乗りこんできた。初めは他人同士のように静まり返っていたのだが、仙台駅を過ぎたあたりから、「ちょっと聞いてくれるぅ？」と、窓側のおばさんが通路側のおばさんに向かってひそひそ声で話し始め、盛岡駅に着く頃には弾丸トークに発展していた。私はふたりのおしゃべりを邪魔しないよう、背もたれを倒して狸《たぬき》寝入りを決めこんでいたが、熾烈《しれつ》な嫁舅対決の話題が徐々にエスカレートしてきて、ついに耐えきれなくなってしまった。

トイレに行くふりをして、バッグを抱えて席を立った。そのまま乗車口付近へと移動する。やれやれ、とため息をついた。

洗面所の鏡の前に佇んで、バッグの中から奥村君が用意してくれた地図を取り出す。要所要所に付箋《ふせん》が貼ってある。

『この桜はもっとも大ぶり　下からあおるようなアングルで』

『ここで中継　カメラ三脚使う』

『このへんで通行人にインタビュー』

市川さんと安藤さんが、角館の名所を私がどう回るか想定しながら指示を書き出している。この付箋が市川さんのキューサインであり、安藤さんのカメラだ。そう思って微笑んだ。

「旅屋おかえり・角館編」の旅ルートはこうだ。

まず、角館駅で下車。武家屋敷エリアに向かって一路歩く。途中でランチ、比内地鶏の親子丼を食べる。武家屋敷エリアでは、小田野《おだの》家、河原田《かわらだ》家、角館武家屋敷資料館、岩橋《いわはし》家としだれ桜の名木の数々をチェックして回る。おやつは生もろこしで有名な「くら吉《きち》」で。伝統の桜の樺《かば》細工や醤油商店を眺めて、最後に檜木内《ひのきない》川の川堤へ。ここまで来たら、もう、もう、もう、うわあって感じで桜が咲いてるはずなのだ。

桜を眺めて日が傾くまえに、再び駅へ。田沢湖線に乗って、田沢湖駅までローカル線でごとごと移動。駅でレンタカーを借りて、気ままにドライブ。行く先は秘湯・玉肌《たまはだ》温泉、うるわしの源泉かけ流しが待ち受けている。女性おひとりさま客でも気軽に受け入れてくれた山奥の宿、すでに好感度高し。地酒をいただきながら、ローカルなテレビ番組を見て、泊まり客や旅館のおばさんと話してなごんで、ざぶんとお風呂に入って、はああ。言葉にできない至福のひととき。この時点で自分のミッションを忘れていませんように。

旅二日目は、当然、朝風呂でスタート。朝ご飯をお腹いっぱい食べて、いざ出発。田沢湖へ行く途中にある「山のはちみつ屋」ではちみつシュークリームと、たぶんアイスクリームも食べちゃう。ここのところ仕事もなくて体重増加気味だけど、旅先でいちばん嫌いな言葉は「ダイエット」。だからこの際、食べる気満々をくじかずに。

田沢湖をぐるっと一周したら、そのまま八津《やつ》・鎌足《かまたり》方面へ。この時期、カタクリの花が群生してるとか。桜ばかりかカタクリまでレポートしちゃおう。カタクリの花に囲まれて、ランチタイム。旅館で朝食に出た白ご飯で、自分でおむすびを作って持っていくことにする。

ランチのあとは車で来た道を戻って、田沢湖駅へ。レンタカーを返して、十六時四十分発「こまち24号」東京行きに乗る。たぶん、疲れてぐっすり眠りこけてしまうだろう。「ちょびっ旅」のときも、行きはワイワイ、帰りはグーグー。いつもそうだった。

よし、と地図をたたんでバッグに入れる。気を取り直して座席へ戻る。

例のおばさん二人組は、「でさあ。その場面でイ・ビョンホンがね」と、どうやら話題は韓流スターに移っているようだった。舅のおむつの話よりはいいか、と思いつつ座る。

ところが、私が腰を落ち着けるやいなや、

「あたし、どっかであんたと会ったわよねえ、お姉さん？」

窓側のおばさんがいきなり突っこんできた。

「は？　いや、そんなことは……」とごまかそうとすると、

「いやいや、絶対にある。絶対に、あたしあんたと知り合いだと思う。えーと、どこで

会ったっけ？」

「スイミング教室で一緒とかじゃないの？」

通路側のおばさんが適当なことを言う。

「ああ、そっか。今日水着じゃないし帽子もつけてないからわかんなかったのね」

窓のおばさんが呼応する。

「いや。いやいやいや違います。スイミングとか行ってませんので」と私は顔の前で手をぶんぶん振った。

「あらそう？　おかしいなあ、じゃ、どこで……」

「あ！　ちょっとちょっと、見てよ」

通路のおばさんが素っ頓狂な声を出した。窓のおばさんと私は、同時に窓の外を見た。

通路のおばさんは空を指さして言った。

「あっちのほう、雨雲がすごい流れてるわよ。こりゃあ、雨になるよ」

私は通路のほうへ身を乗り出した。ほらあそこ、と通路のおばさんが指さした方角。それはまさしく新幹線が向かう先、角館方面だった。恐ろしい速さで雨雲が集結している。私は目を丸くした。

「嘘っ。ありえない。私が行くのに、雨なんて、そんな」

通路のおばさんが「それどういうこと？」と訊く。

「晴れ女なんです、私。超がつくほどの」と答えると、

「あー！　わかった！」窓のおばさんが大声を出した。

「お天気お姉さんだ！　7チャンネルの朝の！」

またもや適当なことを言われてしまった。

「ねえお天気お姉さん、あんたも角館行くの？　角館地方、今日は晴れじゃなかったの？　天気予報外れてるわよ、どうすんの？」

軽快な音楽が車内に鳴り響き、『まもなく、角館に到着します。田沢湖線はお乗り換えです。お降りの方は……』とアナウンスが聞こえてきた。窓の外には、みるみるグレーの空が広がり始めた。私は目を疑った。

ぽつぽつと大粒の雨が窓を打ち始めたかと思うと、瞬くまに水滴が車窓をおおった。おばさんたちは、「ありゃりゃりゃ、りゃ」と、拍子抜けした声を出している。

「うわ、すごい雨だ。なんでこんなに降ってるの、今日に限って……ねえ？」

通路のおばさんが私を振り向いて言った。こっちが訊きたい。

「まあでも、しょうがないわね。雨には雨の風情あり、ってやつよ。花は盛りに、月は隈なきをのみ見るに限るわって言うしね」

「あら、それなんか違わない？」

おばさんたちは大きなボストンバッグを提げて、私に向かって口々に声をかけた。

「まあ、そうがっくりしないで。ここまで来たんだから楽しみましょ」

「お姉さんもいい旅をね。夕方までには晴らしといてね」

あくまでも明るく前向きに。そう、雨が降ろうが風が吹こうが、旅するおばさんたちはとことん元気なのだ。

このおばさんたちのしぶとさの一ミリも、私にはない。少なくとも、いまの私には。

何をへこたれてるんだ私。すかっと晴れた青空に揺れる満開の桜を映像に収めて、なんとしても真与さんに届けなくちゃ。雨の中、ぬかるみで転んでしまって、家元に——お父さんになじられた彼女の無念を晴らしてあげなくちゃ。気合いだ気合い。気合いでなんとかするんだ。

そう自分を勢いづけた。しかし、気合いで雨がやんだという話は聞いたことがない。

ドアが開く。冷たい空気が流れこんでくる。ミミちゃんが用意してくれたスプリングコートに包まれた体が、とたんにぶるっと震える。

降り立った角館の駅は、一面の雨の中にあった。

青空が欲しけりゃ、おかえりを呼んでこい。どんな雨雲も退散させちまうスーパー晴れ女なんだから。

そうだな、さしずめ「太陽の娘」って感じ？　まったく、不思議な子だよ、おかえりは。

そんなふうに、言っていた。いつか、どこかのロケで、市川さんが。

その太陽の娘は、いま、しとどに雨に濡れていた。ひとりぼっちで、いい年をして、泣き出しそうだった。

# 5

こんにちは。「旅屋おかえり」、旅人・丘えりかです。

今日は、ここ、秋田県・角館までやってきました。

季節は春。東京では青葉がさわやかな時期ですが、東北の春はいまが盛り。桜は、ご覧ください、こんなふうに……もう、満っ開です！


元気いっぱいにナレーションしてから、大きく空を仰ぐ。とたんに、顔めがけて落ちてくる特大の雨粒。桜の枝にたまっていた水滴が、風に揺られていっせいに落ちてきたのだ。「うひゃあっ」と叫んで、頭を振る。とたんに周辺に水滴が飛び散る。

三脚の上に設置したビデオカメラの近くで、雨合羽を着た交通整理員らしきおじさんが立ち止まる。シャワーキャップのようなビニールを帽子の上にかぶせ、片手に赤い誘導棒を持っている。しげしげとこちらを眺めてから、「おめさんはここで何しとるんだが？」と言った。

「は？」と私は、雨のしずくを前髪からしたたらせながらおじさんのほうを向いた。

「いま、なんておっしゃいましたか？」

「だがら、何しとるのかって」

ここ、一般公開されてる武家屋敷の庭のはずだけど……入っちゃいけないところだったのかな。

「すみません、いま出ます。すぐ出ますんで、もう一カットだけ撮らせてくださいませんか」

カメラの上にかぶせてある透明のビニールシートを、おじさんがぺらりとめくる。

「あっ、触らないで！」と前のめりになる。

「借り物ですんで。……いや、あの、いま録画中ですんで、ノータッチでお願いします」

「録画中つったって、こんた大雨の中でどうするんだか？　桜は晴れてるときに撮らねと意味がねだべ？」

その通り、こんなざあざあ降りの大雨の中では、しだれ桜がどんなに咲き誇っていても、その美しさを伝えるのにはかなり無理がある。それ以前に、このシチュエーションは、まさに依頼人・真与さんが数年まえに体験したのと同じじゃないか。

きっときっと、青空の下、いっぱいの光の中、満開の桜を見てきてくださいね。

一度でいいから、青空の下、満開の桜の下を旅したかった。その想いを、私の代わりに遂げてくださいますか？　おかえりさん。

「全然だめだぁ。これじゃ真与さんの想い、遂げられないよぉ」

思わず情けない声を出した。雨合羽のおじさんがやはり不審そうな表情で見ている。その視線から逃れるようにカメラへ走り寄り、録画停止のボタンを押す。

「傘もささねで、ずぶ濡れじぁねだが。なんでこんた日にビデオなんか撮ってるんだが」

イタい質問には答えずに、バッグからハンカチを取り出してカメラを拭《ふ》く。それから泥の中に転がしておいた、駅で買ったばかりのビニール傘を広げた。おじさんは私のほうへ近づくと、「ほれ、使ってけれ」とタオルを差し出した。

「そいがら、これもよかったら使ってけれ。そこっちゃある店の喫茶券だス。あったかいお茶っこでも飲んで、体あったためるとええべ」

右手にタオル、左手にピンク色のチケットを渡された。突然の親切に、「あ……ありがとうございます」と頭を下げた。

「絶対雨降らないって確信してたんで、タオルも傘も、何も持ってきていなくて。助かりました」

おじさんは、愉快そうに笑った。

「天気のことばっかりは人間にはどうすることもできねだべ。しょうがなあ。さ、早いとこお茶っこさ飲んであったまってけろ」

雨に濡れて、体の芯まで冷え切ってしまっていた。カメラを三脚から外し、キャリーバッグに入れる。ビニールシートの水滴を払って畳む。撤収するあいだじゅう、おじさんはビニール傘を私の頭上に差しかけてくれていた。

ほんとうに、そうだ。天気のことばっかりは、人智の及ぶ範疇《はんちゅう》じゃない。

武家屋敷のすぐ隣にある喫茶店の窓際の席に座って、ぼんやりと雨空を眺める。窓をしたたる幾千の雨粒。その向こうで、狂おしいくらい満開の花を揺らすしだれ桜。

あーあ、とため息が出る。

何やってんだろ、私。こんなところでひとりでお茶なんかして。

セルフ録画の方法も、ナレーションも演出の仕方も、メイクもスタイリングも、「ちょびっ旅」ファミリーのみんなにせっかく教えてもらったのに。どこをどう回るか、きっちりルートも練り上げたのに。この雨のせいで、何もかも無駄な努力になってしまった。

ポケットの中で携帯電話が震え始めた。鉄壁社長からの電話だ。旅のあいだは連絡しねえぞ、って言ってたくせに。しぶしぶ出る。

『おい。まさかの雨じゃねえだろうな』

いきなり言われて、「そのまさかです」と答えた。

『おいおいどうしたあ、お前、〝太陽の娘〟だろ？　天気予報で東北地方は雨、ってやってたけど、んなこたねえだろ、と思って電話したのによ。予定と違うじゃねえか』

「私は太陽の娘でも天照大神《あまてらすおおみかみ》でもないです。神通力のかけらもない、ただの旅人ですんで。天気のことばっかりはどうすることもできません」

開き直って言うと、

『ただの旅人じゃねえ。使命のあるプロの旅人だ』

すかさず言い直された。

『いいか、何がなんでも青空と桜のショットを撮ってこい。それがなかったらこの仕事はおじゃんだ。でもって、ギャラはびた一文入ら……』

言いかけてから、『おい、そういう問題じゃねえだろ』と自分にツッコミを入れた。

『依頼人の想いを遂げるためにも晴れてもらわなくちゃ困るんだ。鵜野の奥方と真与さんがどれほどお前に期待してるか思い出せ。いいか。この旅にゃ鵜野父娘《おやこ》の〝雪解け〟がかかってんだぞ。護摩《ごま》焚《た》きでもてるてる坊主でもコックリさんでも、なんでもいいからできることは全部やって、とにかく晴れにしろ。晴れだ。晴れ晴れ、晴れ晴れ晴れ晴れ！』

ブツッと通話が切れた。思わず手の中の携帯電話をにらむ。

携帯でお天気情報を何度チェックしてみても、角館地方は雨。窓の向こうに広がる景色《けしき》も泣きたいくらい雨。念のため明日の天気予報をチェックしても、やっぱり雨だ。目の前が暗くなる。

どうしよう。これはもう、滞在を一日か二日、延長するしかないかも。余分な経費がかかるけど、のんのさんに連絡して了承してもらうしかない。

けれど、真与さんの病状を考えると、悠長に過ごしている時間はない。一日でも早く帰って、一刻も早く届けたい。そして、この旅のレポートが、真与さんがこれからも生きていく勇気を奮い立たせるためのささやかな助けになれば。

初めて真与さんの病室を訪れ、正式に「旅屋」としての依頼を受けた日。帰りの地下鉄の中で、鉄壁社長がしみじみと言った。

大変な仕事を受けちまったなあ、えりか。

お前のレポート次第で、真与さん、がっくりして、余計具合が悪くなっちまうかもしれねえぞ。

逆に、生きる勇気が湧いてくるかもしれない。これからも生きて、生き抜いて、もう一度家族で旅をするんだ、と思ってくれるかもしれない。真与さんのみならず、お袋さんも、親父さんもだ。

いまが、その瀬戸際なんだ。だから、これは絶対にいい旅にする必要があるぞ。

社長の言葉を思い出して、そうだ、と私は顔を上げた。

落ちこんでる場合じゃない。旅を続けるんだ、あくまでも前向きに。

バッグの中をごそごそと探る。ガイドブックや地図を取り出して、テーブルの上いっぱいに広げる。

この付近で、桜の名所で、雨が降っていないところを探そう。確か弘前城も名所だ。いまから電車で行って、着いた頃に晴れていれば……。弘前の手前、大館《おおだて》にも名所がある。

携帯でお天気チェックをしようとフラップを開けたとたん、またブルブルと震え始めた。液晶画面に見知らぬ電話番号が出ている。不審に思いながら通話キーを押す。

『丘さんだが？　玉肌温泉だども。今日は予定通り、おれんとこでお泊まりだべか？』

若い男性の声。今夜宿泊予定の宿から確認の電話だった。私は「はい、予定通り参ります」と返してから、

「あ、ちょっと待って。いまから弘前のほうへ行くかもしれません。それからそっちへ行くので、かなり遅くなるかもしれないんですが、よろしいでしょうか」

『え？　遅ぐなっぺかや？　だズら、弘前んがたへ泊まったほうがええだべ。こっちは今夜、雪になるべさ』

私は耳を疑った。

「え？　雪、ですか？　だってもうすぐ五月ですよ？」

『ここは山奥だし五月でも降ることはあるんてがよ。とにかく遅くなるんだズら、来ねほうがええだス。んだば、キャンセルってことでええだな？』

「あっ、ちょっ、ちょっと待って！　あの、弘前方面が晴れてるかどうか調べてから決めますので。折り返し電話します。すぐに」

そう言って、通話を切った。すぐに弘前観光コンベンション協会の電話番号を調べ、問い合わせてみる。今日は夜までずっと雨です、と言われてしまった。


午後三時半。田沢湖駅前でレンタカーを借り、雨の山道を登っていく。一日目の午後の予定をばっさりと変更した。雨の角館を捨てて、とにかく玉肌温泉へ向かう。今日はだめでも、ひょっとすると明日晴れるかもしれない。角館がだめなら盛岡でも北上でも、とにかく晴れている場所で満開の桜のショットを狙う。その可能性に賭け、とにかく雪が降り出すまえに、秘湯・玉肌までたどりつくことを本日のメインイベントにした。

レンタカーに乗りこむまえに「まだ雪になってませんよね？」と宿に電話をした。さっき電話をかけてきた若者の声で『まんだ、降ってねスよ』と返ってきた。

『空が明るぐなってきただから、このまんま晴れるかもしれねべなあ。こんた山奥じゃなくて、弘前のほうへ行ってみたらどんだが？』

「いえいえ、そちらへ行きます。いまから行きますんで。もう田沢湖駅に着いてますから」私はあわてて返した。

「ちなみに、そのあたりに桜は咲いてますか?」

『はあ、駅からの道々咲いてるスよ。んだども、桜どご見たいんだズら、こんた山奥じゃなくて、角館か弘前のほうがええだべ。そっちへ行ってみたらどんだが?』

「ええ、わかってます。わかってますけど、とにかく行きますんで」

悠長なやりとりについイラッときて、ちょっとだけコワい声を出してしまった。おっと、いけないいけない。何があっても急がずあわてず、ゆったり構えて。それが旅の極意なんだから。

そんなやりとりがあって、こうして早々に玉肌温泉へ向かっている。空はちっとも明るくなんかない。角館よりも暗く濁って、雨脚はいっそう強くなっている気がする。駅から続く一本道に、確かに桜並木があった。ソメイヨシノは雨に濡れそぼって、七分咲きの枝をさびしげに揺らしていた。

道はどんどん細くなり、対向車が来たらどうしよう、というくらい細くて曲がった山道に入っていった。まだ四時まえなのにずいぶん暗く感じる。フロントガラスがじんわりと曇って、空気がどんどん冷えるのがわかる。

ふと、のんびりと動くワイパーに、ふわっと留まる白いものが見えた。目の錯覚かと思ったが、ふわ、ふわ、ふわ、白い塊がどんどん増えていく。

あ……と私は、ハンドルを握ったまま、子供のようにぽかんと口を開けた。

雪だ。

信じられないことに、ほんとうに雪が降ってきた。それも半端な淡雪じゃなく本格的な雪だ。スピードを落とし、フロントガラスに前のめりになりながら、口を開けたまま運転した。すぐに道が行き止まりになり、自然と駐車場にたどり着いていた。急いで車を停める。

次の瞬間、私がとっさに思いついたこと。それは、カメラを取り出してこの風景を録画することだった。

ここは、依頼人ご指定の角館じゃない。目の前に見えているのは満開の桜じゃない。けれどそれは予想もしなかった、息をのむほど美しい風景だった。この瞬間を、逃しちゃいけない。

勢いよくドアを閉め、駐車場へ走り出る。さっき降り出したばかりなのに、あたりはいちめん、あっというまに真っ白の雪景色に変わってしまった。カメラを右手に掲げて、録画ボタンを押す。ピコン、と録画開始の音が鳴る。カメラマンの安藤さんに教えてもらった通り、右腕の脇をぐっと締めて、ゆっくりと、左から右へ、ゆっくり、ゆっくり、水平にカメラを動かして。

「信じられない……雪、雪が降っています。今日は四月二十五日、春の雪です。ああ、きれい。ほんとに、この風景の中へ溶けていってしまいそうです……」

ナレーションをつぶやきながら、今度は右から左へ、ゆっくりと水平移動。……あれ？　誰かが立ってこっちを見てる……。

私はカメラのモニターから顔を上げて、少し離れた前方を見た。雪が舞い散る中、黒いパーカ一枚でこっちを見て立っている、二十代くらいの青年。擦り切れたジーンズに、足もとは流行りのブーツかと思いきや、黒くテカるゴム長靴。右手にもう一足、ゴム長靴を提げている。

反射的に、どきっとした。切れ長の目、そのまなざしが、雪も溶けそうなくらい熱っぽくこっちに向けられている。すらっと背が高く、ニットキャップから長めのくせ毛がのぞいている。一瞬、電流が走ったが、こんなところで胸弾ませてる場合じゃない。

それにしても、ずっとこっちを見てる。ひょっとして、私がタレントだって気づいたのかな。

意味深な瞳がまぶしくて、私は目を逸らし、車へ戻ろうとした。すると、

「おめさんは、丘さんだが？」

いきなり名前を呼ばれて、「はいっ」と元気よく返事をしてしまった。青年の口もとに、たちまち笑みがこぼれた。

「ああ、よかっただス。玉肌温泉の者だス。こんたに雪が降ってきたがら、途中で遭難でもしねかと思って、心配で見にきたんだス」

「は？　たまはだの……？」

青年はうなずくと、車へ近づいてきた。「荷物は？」と訊かれて、「あ、後部座席に」と答えた。青年は後部座席のドアを開け、キャリーバッグやトートバッグを引っ張り出してドアを閉めると、言った。

「へば、おれのあとについてきてけれ。ここから、ちっと坂道下って五分くらい歩ぐす。足もとに気ぃつけてけれなァ。ああ、ほんたら靴じぁだめだべ。ほれ、長靴さ持ってきたから、これ履いてけれ」

有無を言わせずゴム長靴を履かされた。宿の青年は、泥だらけになってしまったローヒールのパンプスを拾い上げると、片方ずつ、自分のパーカのポケットに突っこんだ。それから、さくさくと歩き始めた。私は大あわてで彼の後ろをついていった。

玉肌温泉は、「秘湯」と呼ぶにふさわしく、とんでもないところにあった。深く茂る森林のはざま、清流のほとりにぽつんと建つ古びた湯宿。その清流に架かる橋を渡って、ようやくたどり着く。雪の舞う中、両手に私の荷物を提げて、真っ白な風景を切り裂くように、青年がその橋を渡っていく。彼の後ろをさくさくと力強い足跡がついていく。

私は、はっと立ち止まってカメラを構えた。

人間が歩いていく後ろ姿が、こんなふうに、美しい、と思ったのは初めてだった。この瞬間を、真与さんに見せたい。とっさにそう思ったのだ。

橋を渡り終えたところで、青年が振り向いた。私がカメラを向けているのを眺めているようだったが、両手の荷物を橋のたもとに置いて、いま渡った橋を戻り始めた。カメラに向かってずんずん近づいてくる。そして、「ほれ、貸してけろ」とレンズに向かって手を伸ばした。

「おれんどご撮ってどうするんだが。おれがおめさんどご撮ってやっぺ」

戸惑っている私の手からカメラを奪うと、

「ほれ、早く橋渡ってけれよ。こっちさ振り向かねで、めどご向いて、まっすぐに」

ピコン、と録画開始の音がした。私は、カメラに向かってにこっと笑いかけてから、まっすぐに前を向いて歩き始めた。

背中にカメラを感じながら歩いていくのは、いつ以来だろうか。なつかしく、気持ちのいい感触だった。

宿のスタッフって言ってたけど——あの人、カメラの構え方、録画の間のとり方が素《しろ》人《うと》っぽくないような。それにしても……なんという幸運。こんな僻地で、期せずしてこんなにイケてる青年が待ち受けているとは。

と、玄関先から、わあっと三人の子供たちが飛び出してきた。ぎょっとする私の横を通り過ぎて、カメラを構える青年の足もとに飛びついていく。

「お父ちゃ、雪だべ、雪だべ！」

「雪合戦すど！　お父ちゃ、雪合戦っ！」

お……お父ちゃん⁉

「こらこら、お客さんがござっしゃったで、あとでな。あとで、って言ってるっぺさ。こら、ほんたら引っ張ったら、カメラが……あわわっ」

どさあっ、と派手な音がして、若きお父ちゃんは雪の中に沈められてしまった。バンザイポーズで。しっかりと、カメラだけは守られていた。


玉肌温泉の食堂。夜になって、窓の外はすっかり雪におおい尽くされた。ストーブが赤々と燃え、その上にかかった大きなやかんがしゅんしゅんと湯気を吐いている。私の膝の上にちょこんと座って、イケメンタレントが出演しているテレビを見上げながら、玉肌温泉三代目湯守・玉田大志《たまだたいし》さんの長女、五歳の雪菜《ゆきな》ちゃんが「ゆきな、このひとのおよめさんになるう」とはしゃぐ。私の両脇に陣取っている雪菜ちゃんのお兄《にい》ちゃんたち、七歳の太郎《たろう》君と六歳の次郎《じろう》君が、「これ、イケメンだべ！」「おめ、よめっこになんかなれねぞ！」とはやし立てる。

「こらっ、太郎、次郎。お客さん、まんだ食事終わってねんだぞ。大ばあちゃの部屋でテレビさ見れ。ほれ、雪菜もそったらとこさ座りこむんじゃねえ」

大志さんがポットと大きな急須を持って現れた。そして、「ごめんしてけれなァ。こんた小さいガキどもがうるさくして」と詫びた。

「お父ちゃ、雪菜、イケメンぐいだべさ。こいつ、イケメンしか好きじゃねえべさ！」

言いながら、太郎君が小さな妹の頭を叩く。雪菜ちゃんは、とたんに泣きだした。

「ありゃりゃ、泣かないで、泣かない泣かない」と、私は雪菜ちゃんを抱き上げた。

「こら、お兄ちゃん。イケメンぐいで何が悪いの。女の子はみんなイケメンが好きなのっ」

なんでイケメンぐいなんて言葉を知ってるんだこの少年は、と思いつつ反論する。

「太郎。姉《あね》さの言うとおりだべ」と大志さんがフォローする。

「おめのお母ちゃだってイケメンぐいだったたろ。だがらいなくなってしまったんだべ。わかってるべな」

話が妙な方向へ向かってしまった。しゅんとする小さな兄ふたりに向かって、私はあわてて言った。

「ごめんね、お姉ちゃん、もうすぐご飯終わるから。そしたら遊ぼう。ね？　それまで、おばあちゃんのとこでテレビ見てて。ね？」

ふたりの兄はこくんとうなずくと、ぐずぐずと泣く妹の手を引いて食堂から出ていった。

ポットのお湯を急須に注ぎながら、「まんつ、ませたガキで困るんてが」と大志さんは小さく嘆息した。

「こんた山奥で遊び相手もいねし、お客さんに遊んでもらうのが好きなんだス。それで、どうも大人びてしまうようだス。こんた宿へ来る人はよっぽどの物好きだスなあ、時間にも気持ちにも余裕のある大人が多いがら、わらしたちとよーく遊んでくれるしがら、助かってるス」

そう言ってから、

「こっちがお客さんどご助けてあげなくちゃいけねのに、おれらが助けられてるんじぁ、だめだスけどなァ」

と苦笑した。私も合わせて笑ったが、この若い父親が子供たちを育てるのにさまざまな苦労をしていることがよくわかった。

そのままの成り行きで、大志さんは自分と子供たちの身の上について話し始めた。

玉肌温泉二代目湯守の父の長男として生まれた大志さんは、幼い頃に母を亡くし、父と祖母とに育てられた。そして、やはり宿を訪れる大人たちにかわいがられて成長した。自然を専門に撮るカメラマンの常連客に教わって、小学生の頃からカメラに興味を持ち始める。やがて秘湯ブームの到来で、この鄙びた温泉にテレビカメラが入った。自分たちの暮らしが映像になり、テレビに流れたのを見て、大志さんは興奮した。

東京へ行って映像の勉強をしたい。そう思い詰め、地元の高校卒業と同時に、いずれ自分の跡継ぎにと期待していた父の猛反対を押し切って飛び出してしまった。映像の専門学校へ行き、自分が撮った映像がテレビに流れる日を夢見てがむしゃらに勉強した。

「ああ、それで」そこまで聞いて私は納得した。

「さっき、カメラを構えるポーズが素人っぽくないな、と思ったんですよ。やっぱり、プロだったんですね」

「いやあ、それが結局、プロになれねで帰ってきてしまったんだべ」大志さんは長めのくせ毛をくしゃくしゃと掻いた。

専門学校を卒業したものの、望んだような就職口はみつからなかった。ようやく入った会社は、学習ビデオ制作専門の小さなプロダクション。わずか三人のスタッフでやりくりし、大志さんはパシリからスタジオ・出演者交渉、経理までこなし、一週間に七日勤務がほぼ二年続いた。

結局、その会社にいるあいだに、一度もカメラのファインダーをのぞくことなく終わってしまった。そして、二年間のあいだにカメラマンにはなれなかったが、父親になったのだった。

相手は、学習ビデオに出演していた年上の舞台女優だった。地味な顔立ちだったが演技力はあった。いつか主役を張れる女優になりたいと、こつこつていねいにがんばる彼女に、いつしか恋をしていた。彼女を世界でいちばんきれいに撮れるのは自分しかいない。そう信じて、結婚を申しこんだ。

返事はあっさりと「イエス」だった。そして彼女は大志さんのアパートへやってきたのだった――幼い息子をふたり、連れて。

「太郎と次郎は彼女の連れ子で、雪菜がお腹にできたのをきっかけに、ふたりしでここさ帰ってきたんだス」

女優にはなれなかったけど、老舗旅館の女将《おかみ》なら演じられる。せいいっぱいがんばるから――と彼女に説得され、帰ってきた。実際、幼い子供三人を抱えて東京で暮らしていくにはもはや限界だった。

「んだどもなあ。帰ってきたものの、二年と経だねうちに、イケメンのお客さんに惚れこんでしまってから……まんつ、あっさりと出てってしまったんだス」

勝手に出ていって勝手に帰ってきた息子とその嫁を、最初、父はどうしても受け入れてくれなかった。祖母が必死にとりなしたが、なかなか雪解けは訪れなかった。けれど、突然いなくなってしまった母を求めて泣きじゃくる幼い子供たちをしっかりと胸に抱いて、父が言った。

大丈夫だ、大丈夫だべ。じっちゃが、おめどたちどご守ってやっぺ。ずっと一緒にいてやっぺ。泣くでねえ。

言いながら、父も泣いていた。

その父も、いまはもういない。昨年、雪崩《なだれ》に遭遇して、あっけなく他界してしまったのだ。父と息子、完全な雪解けを迎えないままで。

「そうだったんですか……じゃあ、いまは、おばあちゃんとふたりで宿を切り盛りしてるんですね」

ほんのり鼻声になって訊くと、

「まんつ、そうだス。お盆や年末年始は親戚や知り合いにアルバイトに来てもらってるんだスが……料理はばっちゃ担当で、あとは掃除も洗濯も買い出しも予約受付も、じぇんぶおれがやってるス。ばっちゃには、わらしどものことさみてもらって、まんつ、面倒かけてるスが……ありがてえことだス」

おばあちゃん思いで、けんめいに子育てをし、こつこつとよく働く若いお父さん。都会で遊び回っているすべての二十代男子に、彼の言葉を聞かせてやりたい衝動にかられてしまった。

「このさき、もうカメラの世界には戻らないんですか」

あえて訊いてみた。志半ばで現実に引き戻されてしまって、さぞや残念だったに違いない。大志さんは、ほんの一瞬、さびしそうな表情になって、「戻りたくても、もう、戻れねス」とつぶやいた。それから、顔を上げて、せいせいと言った。

「んだども、こんた大自然の中でわらしどもを育てるなんてこと、東京じゃできねスから。それに、ここへござっしゃったお客さんが、みんな喜んでくらっしゃるのは嬉しい。それで、またここへ帰ってきてくらっしゃったとき、『まんつ、おかえり』って迎えられるのは、いっぺ嬉しいだス」

その言葉には、この湯宿を守る喜びと誇りが満ちていた。

はるかな山奥の、古くて小さな湯宿。大自然に触れたくて、やわらかな湯に癒されたくて、はるばる訪れる人たち。その人たちを、おかえりなさい、と迎え入れるために、大志さんは細々と宿に明かりを灯《とも》しているのだ。

お父さんも、きっと見守ってくれているんじゃないかな。どんなに大志さんががんばってるか。どんなにこの宿を、旅人を大切にしているか。

だからきっと、雪解けはとっくに訪れてますよ。そう言ってあげたかったけど、照れくさくて言葉にできなかった。

ピコン。
(ドカッ)……っつ、痛あ……。ははっ、ぶっつけちゃいました。壁に頭。だって、見てください。この部屋……ちょっと、狭すぎ？　えーと、二畳、ですね。間違いなく、もと「布団部屋」です、これは。

でもね、なんだかすごく落ち着くの。こうして布団を敷くと、もういっぱいいっぱいで、寝がえりをうつと壁に頭が激突するくらいなんですが。ぬくぬく、巣ごもりしてる気分。暖かい部屋の中にこもれる幸せを、感じる夜です。

だってほら、外は……（ガタッ、ガタガタッ）あ、やっと窓が開いた。ほら、ね。はあーっ、寒ぅ！　雪が降ってます。

さてさて。それでは、そろそろ、お待ちかねの温泉へ出かけてみようと思います。（ガタッ、ガタガタッ）うわっ、寒っ！　部屋から廊下へ出ただけで、この寒さです。ほら、息も真っ白。はあーっ。何度も言いますけど、いま、四月下旬ですよ。ほんと、信じられない。（パタパタパタパタ）あ、ここがさっきご飯を食べた食堂。えーと、こっちが玄関で、温泉はいったん外に出なければならないみたいです。じゃ、行ってみましょうか。

うわー、すごい！　なんだか明るい。夜なのに明るいです。雪って、こんなに明るかったっけ？（サクサクサク）これから禁断の女子風呂に……秘密でカメラ潜入です！

ひそひそ、ぶつぶつ、ナレーションをつぶやきながら、カメラを掲げて露天風呂へ向かう。誰かに見られたら、かなりヤバい人だと思われそうだ。脱衣所手前で、いったん録画を停止する。

いまから、決死の覚悟で露天風呂レポートをするつもりだ。幸い、今日は私以外に宿泊客がいない。それなのに、雰囲気が伝わるかな、とわざわざいちばん狭い部屋に泊めてもらった。秘湯いいですね、入ってみたい、と真与さんが目をきらきらさせていたのを思い出す。

脱衣所は外と変わらない寒さで、高速で服を脱ぎ捨て、いちおうタオルで前を隠しつつ、カメラを片手に露天風呂へ向かう。戸を開けたとたん、さっと風と雪が舞いこんだ。

「うあっ、さっ、さっ……」

寒いッ！　速攻でかけ湯をしてから、カメラを頭上に掲げたまま湯に飛びこむ。とたんに、はあーっとため息が漏れる。体の隅々まで湯の温もりがしみ渡り、最高に気持ちのいい瞬間だ。

「これだから旅はやめられないんだあ」とつぶやいてから、はっと気がついた。

三脚を脱衣所に忘れてしまった。由美かおるに負けじと人生初の入浴シーンを自分で撮るつもりだったので、三脚にカメラを設置しなければならない。急いで湯から上がるとたんに、瞬間氷結しそうになる。

ううう、馬鹿だよな私……全裸になるまえにセッティングしとかなくちゃ、凍え死んじゃうよこれじゃ。

と思いつつ、ずぼらな私はもう一度服を着るのが面倒で、やっぱり全裸でセッティング開始。三脚にカメラを載せ、高感度設定にし、アングルを決め……。

「ああ、早くしなくちゃ凍え死んじゃうよお」

思わず情けない声を出した。すると、脱衣所のほうから、「どうかしてだスかあ？」と声が上がった。

ひゃっ、大志さんだ。

「大丈夫です、なんでもありま……」

そこまで言った瞬間に、つるりと足が滑った。見事、湯の中に転落してしまった。入り口の戸が開いて、「大丈夫だべか⁉」と大志さんがのぞいた。濁り湯の中から頭を出して、「だ、大丈夫ですっ」と答えるのがせいいっぱいだった。

「あ。こりゃ、失礼しまスた」大志さんがあわてて戸の向こうへ頭を引っこめる。それから、

「あのう……申し訳ねだども、浴場内は撮影禁止だスがら」

すまなそうな声が聞こえてきた。

「だども、なしてほんたらところで撮影しとるんだが？」

もっともな質問だ。自分の入浴シーンを自分で撮るなんて、変態だと思われても仕方

がない。私は観念して、「ある人の依頼なんです」と答えた。

「依頼？」意外そうな声が返ってきた。

「といっても、入浴シーンを撮るっていう依頼じゃなくて。わけあって、旅ができない人の代わりに、私が旅をしてるんです。いうなれば、『旅代理人』。それで、旅の記録を撮って、その人に届けることになってるんです」

脱衣所がしんと静まり返った。大志さんは理解に苦しんでいるんだろう。そりゃそうだ。旅行代理店なら知ってても、旅代理人なんて聞いたこともないだろうから。

腹をくくって、私は言った。

「大志さん。あの……ひとつ、お願いを聞いていただけませんか？……お風呂の近くまできて、二十秒だけ、私を撮ってください」

五秒後、大志さんの不安そうな顔が戸の向こうからのぞいた。「入ってええんだべか？」と、恐る恐る訊く。私は、にこっとうなずいた。

こんなところで「脱ぎショット」を他人に頼むことになろうとは。だけど、昔の人は言ってたはずだ。旅の恥は掻き捨てだと。だからこのさい、思い切って。

「へば、いきますよ」と、三脚から外したカメラを右手に掲げて、大志さんが言った。私はまた、うなずいた。大志さんが、すっと左手を出す。一本一本、指を折っていく。
五、四、三、二……。

ピコン。

はあっ、最高に気持ちいい！　雪見風呂です。降る雪が、ほら、濁り湯にこんなふうにじわっと溶けて……。

静かです。あったかいです。いま私は、この大自然と、ゆっくり、じんわり、ひとつになっています。

ストーブの上にかかったやかんが白い湯気を上げている。湯上がりの缶ビールを飲みながら、大志さんと私は、食堂のテーブルで向かい合っていた。

「そうだったんだが。へば、その依頼人さんは、青空の下の満開の桜さ、さぞ見たいだべなァ」

自分の身の上を包み隠さず話してくれた——そして見事な雪見風呂シーンを撮ってくれた——大志さんに、私は許される範囲で今回の旅の事情を話した。依頼人が重い病気で旅に出られないこと。最後の家族旅行で父親と確執がうまれ、そのまま「雪解け」がないこと。映像関係の仕事をして年じゅう旅をしている私のことを知って、今回の依頼を申しこんできたこと。晴天のもと、満開のしだれ桜のショットをなにより希望していること。

いろいろ打ち明けつつも、私はあえて自分の身の上は話さずにおいた。大志さんはそういう人ではないだろうけれど、タレントとわかったとたん態度を変える人も多い。気持ちよく会話ができる、この感じを壊したくなかった。

大志さんはじっと耳を傾けていたが、「だども、天気ばっかりはどうにもならねで」と言った。

「そうなんですよね。私も天照大神じゃないんで、どうにもできないんです」

そうつぶやいてため息をつくと、大志さんはくすぐったい声で笑った。

「なあ丘さん。その依頼人さんは、雨でも雪でも、おめさが心底楽しんで、一生けんめい撮って帰った映像を、きっと喜ばっしゃると思うべさ」

私は目を上げて大志さんを見た。切れ長のまなざしが、やさしげにみつめ返してくる。なんとなくまぶしくて、目を逸らしてしまった。

「そうかな。望んだ通りの映像じゃなくちゃ、旅した意味がないんじゃないかな」

心の中で打ち消し続けてきた思いを、あえて口にしてみた。旅した意味がなかった、と真与さんに言われてしまうこと。それがいちばん、怖かった。

「無意味な旅なんて、ねえべさ」大志さんは静かに言った。

「毎日、この宿で、いろんなところから、いろんな目的でくる旅人に会ってるス。無目的な人も多い。何しとるのかわからね人も。んだども、みんな必ずなんがどごみつけて帰っていかっしゃります」

旅は、出かけるだけで、すでに意味がある。そう思わねが？

大志さんの言葉は、実に素朴だった。それでも、子供の頃から、何百人、何千人の旅人を迎え入れてきた湯守の言葉には、しんとした誠実さがあった。旅人を癒すあたたかさがあった。私はその言葉を、しっかりと胸に抱きとめた。

「そういえば、さっき、お湯は最後まで濁っていだスか？」

唐突に大志さんが訊いた。私は首をかしげたが、「あ。そういえば」と思い出した。

「不思議だったの。最初は濁ってたんだけど、上がる頃に、すーっと透き通ってきたような」

結局、一時間以上も出たり入ったりして温まったのだが、湯の色が変化したのでちょっと驚いたのだった。大志さんは、「まんつ、ンだが」と満足そうな顔になった。

「丘さん。明日は早起きするがええよ。明日、必ず晴れる」

えっ、と私は思わず声を上げた。

「だって、天気予報は雨でしたよ？　ほら、いまだって……」

携帯のフラップを開けてお天気情報を見せようとすると、「ええから、ええから」と言う。

「満開のしだれ桜を撮りに、明日は角館さ戻ればええス。ああ、桜撮るときは下から、こったらふうに、ぐーんとあおってだな。花びらのクローズアップさ、こう……」

カメラを片手に、撮影講義になった。ノートを部屋から持ってきて、大志さんのアドバイスを書き留める。ときおり笑い合ったり、自販機でビールを買い足したりして。

外は、雪。いつまでも、しんしんと降っている。

「お姉ちゃ、お姉ちゃ。朝ご飯だべさ、起きてけろ！」

何度も戸を叩かれて、ようやく上半身を起こした。あまりにも気持ちよく眠ってしまって、いったいどこで目覚めたのかもわからない。お姉ちゃ、お姉ちゃと連呼されて、ようやく、そうだ、玉肌温泉にいるんだと思い出した。

鍵を開けると、わあっと三人きょうだいがなだれこんできた。

「うわっ。元気だなあ、朝から」と苦笑すると、

「早くご飯食べてけれ。んでさ、雪だるま作ろ！　早くしねと雪が溶けちゃうよ！」

「お姉ちゃ、すっげー天気だよ！　お父ちゃが、お姉ちゃに教えてやれって！」

立ち上がって、窓をきしませながら開ける。たちまち流れこむ寒気、そして……。

「ああーっ！　晴れたあっ！」

目を開けられないほどまぶしい銀世界。一面に太陽が降り注いでいた。きゃあっと絶叫して、そばに立っていた雪菜ちゃんを思いきり抱きしめる。早く早く、と子供たちにせかされて、裸足のままで食堂へ下りていく。

「ああ、おはようさんです。どうだべ？　見事、晴れたっぺ？」

飯びつを持って現れた大志さんに、思わず飛びついてしまった。

ピコン。

『え？　もうええだか？　録画中だか？　はい、えー、エヘン。真与さん。玉肌温泉の大志です。おれの温泉は、不思議でね。お湯が濁ると次の日は雨、透き通ると次の日は晴れ、って昔っから言われてるのス。きのう、おかえりさんが入ったお湯は、見事、透き通ってたそうだス。そんなわけで、今日は晴れ。おかえりさん、真与さんのために、これから角館の満開の桜、てっぺ見てってけろ。ああ、してから、真与さん。ご家族で、一度おれとこの温泉へ来てください。いーいお湯だス、自慢だス。いつでも大歓迎だス。待ってます』

『真与さん、大志のばっちゃだス。こんた田舎《いなか》だども、おいしい魚や山菜、料理して食べてもらうス。待ってますから、来てけれなァ』

『太郎です』『次郎です』『ゆきなでしゅ』

『せえの。真与お姉ちゃ、来てけろなーっ』

　雪晴れの青空の下、玉肌温泉ファミリー全員、見送りに出てくれ、ビデオメッセージにも出演。元気いっぱい、真与さんに向かって手を振ってくれた。

　おばあちゃんとは何度も何度も頭を下げ合い、子供たちをひとりひとり抱きしめて、最後に大志さんと向かい合った。

「気ぃつけて。桜のベストショット、撮ってけろ。してから、今度帰ってきたとき、見せてください」

　大志さんが言った。私は力強くうなずいた。そして私たちは、しっかりと握手をした。

　大志さんの手は、二十代の若者らしく骨っぽかった。かさかさしてあかぎれがある、働く人の手だった。大きくて、あたたかかった。

　一瞬、その手を離したくない気分にかられた。けれど、私のほうからそっと離した。大志さんは、切れ長の目をまぶしそうに細めた。

　フロントガラスに積もった雪を払って、エンジンをかける。雪道をそろそろと走り出す。バックミラーの中で、大志さん、おばあちゃん、三人きょうだいが、いつまでもいつまでも手を振っている。最初のカーブで車が見えなくなるまで、手を振り続けてくれた。

みんなの姿が視界から消えたあと、あれ？　と気がついた。

さっき、録画したとき、大志さん、「おかえりさん」って言ってたような。

バレてたか、と肩をすくめる。なんだか嬉しかった。最後まで、「一旅人」として接してくれたこと。

そう、私はいま、タレント・おかえりじゃなくて、ひとりの旅人。

私の帰りを待つ人がいる。雪解けの日を待つ人がいる。その人のために旅を続ける、旅人なのだ。

# 6

四月二十九日、東京の空には一足早く、文字通り「五月晴れ」の見事な快晴が広がっていた。

その青空に背を向けて、鉄壁社長とともに地下鉄構内へと階段を下りていく。いつもの調子で、社長は私の五歩くらい前をずんずん歩く。私はそのあとを小走りについていく。自動改札を社長がさっさと抜けていく後ろで、こちらはＩＣカードの残高不足で引っかかってしまった。振り向きもしない背中に向かって、「ちょっと待ってくださいよお」と訴える。

「何やってんだ。早くしろ、約束の時間に遅れるぞ」

二日二晩、一睡もしていないはずなのに、妙に元気だ。私は大急ぎでＩＣカードにチャージして、自動改札を通り抜けた。ホームに佇んでいる社長から少し離れた位置で立ち止まる。

「なんだよ。その微妙な距離感は」

すかさず社長が言う。私は「いえ、ちょっと……」と言葉を濁した。だって、ヘンなんだもの。三つ揃いのダブルのスーツが季節感ゼロなのはまだいいとして、両腕にしっかりと抱えた大きくて四角い荷物。緑に白の唐草模様の風呂敷に包まれたそれは、舞台の小道具のようにしか見えない仰々しさだ。

「やっぱりヘンですよ、それ。どっからどう見ても、泥棒っぽいっていうか丁稚《でっち》っぽいっていうか……」

「ヘンなのは百も承知だ」社長はすっかり開き直っている。

「大切なお届け物が入ってるんだからな。『旅屋おかえり』初の納品なんだ、ちょっと大げさなくらいでいいってことよ」

そう言って、唐草模様を抱きしめた。その中身は、最新型のノートパソコン。事務所の台所が火の車のこの時期に、まさしく清水の舞台から飛び降りる覚悟で買ってしまったシロモノだ。

本日は、「旅屋おかえり」初仕事の納品の日だ。これから社長とふたり、真与さんと鵜野夫人の待つ病院へ向かう。病室でこのパソコンを開き、社長が丸二日間ろくに眠らずに編集を手がけた「旅屋おかえり・角館編」のＤＶＤを真与さんとお母さんに披露するのだ。

最初、社長は旅の「成果物」を母娘に見せるのに、モニターとなる小型テレビとＤＶ

Dデッキを病室に持ちこむ、と意気ごんでいた。ところが、ことの成り行きを心配してくれていた市川ディレクターから連絡を受けた。「成果物」の披露の方法について社長が話したところ、

「何言ってるんですか。それ以前に、ちゃんと編集して持っていかなくちゃ。丘ちゃんの素人丸出しの『撮って出し』じゃ、泣きの場面で笑われちゃいますよ」

そう言われて、はたと気がついたという。ちょっと待てよ、いったい誰が編集をやるんだ？

「で、うまくいったんですか？　編集作業は」

地下鉄千代田線の座席に並んで座ってから、そう訊いてみた。

出かける直前まで作業していたとかで、結局、どんなものに仕上がったのか見せてもらっていなかった。「成果物」を届ける本人が内容を確認していないのはどうかと思うが、見るのがちょっとコワくもある。

私がビデオを撮ったのも初めてなら、鉄壁社長が編集をしたのも初めてだ。最新型のパソコンに触ったのも初めてだし、こうして「事務所の外でパソコンを持ち歩く」のも初めてなのだ。今朝になって、大事なお届け物――社長はDVDのディスクではなくそれを再生するパソコンのほうを「お届け物」と呼んだ――を入れるバッグがない、と大騒ぎになり、のんのさんがあわてて買ってきたのがこの唐草模様の風呂敷。「だってそ

んな大きなものを包むのって、これくらいしか思い浮かばなかったのよ」と言い訳をした。パソコンバッグをみつけるよりも唐草の風呂敷をみつけるほうが、はるかに難しいように私には思えるのだが。

「いやあ……自分で言うのもなんだがな。おれ、ひょっとすると天才かもしれねえぞ。なんつうか、感動的な出来上がりだ。『男はつらいよ』シリーズの最終話見てるような気分になったぜ」

地下鉄の座席にふんぞり返って、社長はさも満足そうな面持ちでそう言った。いやいやそれは編集用ソフトが優れてるんです、とは言わずに、私は返した。

「それは市川さんや奥村君が助っ人に来てくれたからじゃないですか。新しいパソコンを買うべきだって助言してくれたのも、市川さんでしょ?」

私が角館から帰ってくるのを、そわそわと待っていた人たち。鉄壁社長ばかりではなく、「ちょびっ旅」ファミリーだったみんなが、旅屋初仕事はどうなったかと心配してくれていた。市川ディレクターもADの奥村君も、カメラマンの安藤さんも、みっちゃんもミミちゃんも、私が東京駅に到着する時間を見計らって、どうだった? 晴れたか? うまくいきましたか? と次々にメールを送ってきた。そして、青空の下満開の桜のショットは無事撮れたけど、このまま依頼主のところへ持っていってもいいもんでしょうか? との私の返信に、『待て待て待て!』と市川さんがあわてて電話をしてきたのだった。そして、めちゃくちゃ忙しいのに仕事を抜け出して、奥村君を連れてよろずやプロに駆けつけてくれたのだ。

「いいですか鉄壁さん。映像の良し悪しっていうのは、最後は編集のセンスで決まるもんです」

奥村君が秋葉原まで買いにいってくれた最新型のノートパソコンを前に、市川さんは鉄壁社長に語って聞かせた。

「この『旅屋』は出演者——おかえりの力が五、撮影と演出の力はゼロ。つまり、あとの五は編集で持ち上げて、十にしなくちゃならないんです。そのための最新型のパソコンや編集ソフトの出費に泣いてちゃ成立しませんよ」

「撮影と演出の力はゼロ」っていうところが引っかかったが、その通りではある。ITの知識やデジタル系の作業には縁のなかった鉄壁社長だが、そういうことならいっちょうやってやろうじゃねえか、と腕まくりをした。

それから二日二晩、社長は社長室にこもりっきりになった。ごていねいに、ドアに「入室禁止」と殴り書きの紙を貼り出して。異様な気合いの入れ方に、逆に心配になってきた。

「どうしよう、食事もしないでこもりっきりなんですよ」

市川さんに電話を入れると、しきりに笑われた。

『鉄壁さん、このままパソコンおたくになっちまうかもよ。編集作業じゃなくて、ネトゲにハマってたりして』

そんなことを言われて、ますます心配になってしまった。

そしてとうとう、「成果物」を届ける日がやってきた。

地下鉄の座席に腰かけて、唐草模様の風呂敷包みを膝の上に置き、社長は車内の吊り広告に視線を投げている。私は私で、ドアの上の電光掲示板に次の駅名が横滑りに現れるのを眺めるともなしに眺めていた。ふたりを包む空気が、次第に緊張を帯びてくるのがわかる。

私の旅。社長の編集。真与さんに、満足してもらえるだろうか。

ふと、昨夜、鵜野夫人と電話で交わした会話を思い出す。

——主人に、真与の病室へ来てほしいと頼んだんです。おかえりさんが角館で撮ってきてくれた映像を一緒に見てほしい、って。けれど、どうしても首を縦に振ってくれませんでした。それどころか、ひどいことを言われてしまって……。

あまりにも沈んだ声だったので、私は訊かずにはいられなかった。

家元、なんておっしゃったんですか。よかったら聞かせていただけませんか。

夫人は押し黙っていたが、しばらくして、か細い声が返ってきた。

お前は恥知らずだ、と。

恥知らず？

ええ。娘の病状を他人に打ち明けて、そのうえ家庭内のゴタゴタの巻き添えにまでして……恥を知れ。そう言われました。

私は、絶句した。

冷たく突き放す言葉。家族に向けた言葉とは到底思われない。どう返したらいいのか、にわかに思いつかず、私は戸惑った。

なんて暗くて深いんだろう。家元と、夫人と真与さんのあいだにできてしまった溝は。

私は、心のどこかで楽観していた。もう売れっ子ではないとはいえ、曲がりなりにも芸能人が大切な娘さんに代わって旅をする。家元もおもしろがってくれるんじゃないか。そしてこれをきっかけに、父娘の「雪解け」が始まるんじゃないか、などと。

父娘のあいだにずっしりと立ちはだかる氷壁の厚さを知って、私は、鵜野さんたちと知り合ってから初めて暗澹《あんたん》とした気持ちになった。

雪解けて、桜咲く。家元と真与さんが、そうなりますように。

この思いが、どうにか伝わりますように。

そう願いながら、旅をした。もちろん、いまもそう願っている。でも……。

「おい。あのショット、誰が撮ったんだ」

隣で低い声が響いた。え？　と横を向くと、正面の吊り革が揺れるのを見やりながら、社長が憮然《ぶぜん》とした顔をしている。「あのショットって？」と私は訊いた。

「だから、あれだ。……入浴シーンだ」

言いにくそうに返す。私は、「ああ、あれね」と肩をすくめた。

「その……まあいろいろありまして。玉肌温泉の若旦那に撮ってもらいました」

「なんだ？」社長はぎょろりと目玉を動かした。「お前、若旦那と風呂に入ったのか？」

「はい。……じゃなくて、いいえ。でもまあ、入ったといえば入ったのか。いや、入ったとはいえないか」

「どっちだよ」社長が不機嫌そうな声を出す。

「正確には入ってません。私が入ってるところを、お願いして撮ってもらったんです」

私は、露天風呂での一部始終を早口に話した。裸になってから三脚にカメラをセットしようとしたところ、足を滑らせて湯船に落ちたこと。たまたま外を通りかかった若旦那の大志さんに事情を説明して撮ってもらったこと。ついでに、大志さんがどんなにすばらしい人物だったかも話した。東京で映像の勉強をしたこと、奥さんが子供を残してほかの男と出ていってしまったこと、父の跡を継ぎ、誇りを持って湯守をしていることなど。

そうこうするうちに、地下鉄は新御茶ノ水の駅に近づきつつあった。

「ああ、くやしい。もう着いちゃうのかあ」私は嘆息して言った。

「もっと社長に聞いてもらいたかったです。角館のことも、玉肌のことも……どんなにすてきな人たちに出会ったか」

大志さんにクラッときたことは言わずにおいた。社長は唐草模様の包みを軽く叩いて、「ああ。よおくわかってるって」と苦笑した。

「丸二日、お前が撮ってきたデータとにらめっこしてたんだぞ。若旦那がお前の好みだってことも、とっくにお見通しだ」

私はもう一度肩をすくめた。

地下鉄が新御茶ノ水の駅に到着した。旅のあいだは色恋沙汰はご法度《はっと》だぞ、その気があるならちゃんと事務所に届けてからにしろ、はいはいわかってます、などとにぎやかに言い合いながら、私たちは青空の広がる地上に向かって階段を上っていった。


新御茶ノ水駅にほど近い場所にある大学病院、真与さんのいる特別室のフロアの廊下には、やっぱり花の香りが漂っていた。

一般病棟にくらべるとはるかにお値段の高そうなこの階には、政界財界芸能界の関係者の病室があると聞く。お昼の煮魚なんて無粋な匂いじゃなくて、室内のアロマにまでじゅうぶんに気をつかっているフロアなのだ。

「こんにちは、おかえりさん。鶫野さんたち、お待ちかねですよ」

真与さん担当の看護師、高倉《たかくら》さんがナースステーションから出てきて言った。高倉さんも非番のときは「ちょびっ旅」を楽しみにしてくれていたそうで、真与さんの代理で私が旅をすることになったと鶫野夫人から教えられ、自分のことのように楽しみにしてくれていたという。まあ立派なお荷物ですね、と鉄壁社長が大事そうに抱えている唐草の風呂敷を見て、楽しそうに笑った。

鶫野さんは、落ち着いた水色の着物をきちんと着て、廊下に出て私たちの到着を待っていた。もう何時間もまえからそうやって待っていたように見えた。

私たちの姿を見ると、深々と頭を下げて迎えてくれた。そして、私に向かって、ひと言、

「おかえりなさい」

そう言ってくれた。

ふと、家族に出迎えられたような気がして、たちまち胸に熱いものがこみ上げた。私は微笑んで、やっぱりひと言、応えた。

「ただいま」

鶫野さんは、こっくりとうなずいた。

「さあ、どうぞ。真与が待ちかねています」

病室の中へと誘《いざな》われ、私たちはカーテン越しに春の日差しが淡く差しこむ白い部屋の中へと入っていった。

最初に訪れたときとまったく変わらず、真与さんは中央にあるベッドにじっと身を横たえていた。やはり鼻と口をおおって、透明の酸素吸入のマスクがぴたりと吸いついている。一瞬、足がすくんでしまった。

真与さんの表情は虚ろで、容態は芳しくないように見える。私は少なからず動揺した。すぐにでも真与さんの目の前に歩み出て話しかけたい。けれど、そうできなかった。あまりにも重い現実を直視できない、と逃げる気持ちが、両足をすくませてしまったのだ。鉄壁社長も同じなのか、後ろで固まってしまっている気配があった。

真与さんの目がかすかに動いて、私をとらえた。私は微笑もうとして、頬を緩めることができない。すぐに鵜野さんがベッドの脇へと歩み寄り、そっとマスクを外して、口もとに耳を近づけた。

鵜野さんは何か聞き取り、うなずくと、またマスクをつけてあげて、私のほうへ振り返って言った。

「『おかえりなさい』」

その瞬間、魔法が解けたように、私は真与さんに向かって一歩、二歩と近づいた。そして、「ただいま」と応えた。真与さんの目が、かすかに、ほんとうにかすかに微笑んだ。

「真与さん。お見せする映像、持ってきましたよ。ご依頼の旅の『成果物』です。ご覧になりますか？」

真与さんの微笑に力を得たように、社長が私の背後から語りかけた。ごくかすかに、真与さんのあごが動いた。私は社長のほうへ振り向くと、真与さんの代わりに大きくうなずいてみせた。

ベッドのフレームにテーブルを据え付ける。社長は唐草模様の風呂敷をほどいて、中から最新型のノートパソコンを取り出した。「まあ」と鵜野さんが声を上げる。

「いったい何が入っているかと思いましたわ。てっきり、アルバムか何かでも入っているのかと」

社長と私は顔を見合わせて笑った。

「お母さんのおっしゃる通り、これは『旅のアルバム』です。おかえりと、あなたの」

鉄壁社長は、真与さんの顔をのぞきこんで言った。そして、パソコンをテーブルの上に置き、電源を入れた。画面上のカーソルを動かし、ＤＶＤ再生の準備を整える。その一部始終を、真与さんは、期待に満ちた熱っぽい瞳で見守っていた。私は、真与さんの頬に少しずつ明るさが増していくのを、美しい絵画に心奪われるように、息を詰めて見守っていた。

「さあ、準備完了だ。……始めますよ。いいですか？」

鉄壁社長のウインナーのような指が、Ｅｎｔｅｒキーの真上でぴたりと止まった。いまは真っ暗な画面を、真与さんと鵜野さんは、星のない夜空に視線を放つようにして見入っていた。社長がちらりと私を見た。それがキューサインだった。

私は、床に膝をついて、真与さんの耳もとで静かに告げた。

「それでは、旅立ちのときです。……春まっさかりの角館へ、ご一緒に」

## 4月25日　角館

真っ暗な画面に、白文字が浮かび上がった。やがて、ザアーッと無情な雨の音が聞こえてくる。雨の音は、徐々に大きくなる。それに私のナレーションがかぶる。

『はあ、やっと着きました。角館、武家屋敷の前に来ています。いやあ、すごい。まさに、春まっさかり……』

いきなり仰角で、満開の桜の映像が現れる。ボッボッボッと雨粒がマイクを叩く音。レンズはたちまち雨粒でおおわれてしまう。

『ありゃりゃ、だめだこりゃ。レンズが濡れちゃう。どうしよう、こんなに桜満開なのに……。そうだ、ここで三脚登場かな。三脚にカメラを据えて、こっちにレンズを……』

私のひとり言がずっと流れている。ごそごそ、カメラを三脚に据えると、画面に私が走り出た。白いスプリングコート一枚で、桜の木の前に立つ。吐く息が白い。にこっと笑顔を作ってから、軽快にしゃべり出す。

『こんにちは。「旅屋おかえり」、旅人・丘えりかです。今日は、ここ、秋田県・角館までやってきました。季節は春。東京では青葉がさわやかな時期ですが、東北の春はいまが盛り。桜は、ご覧ください、こんなふうに……もう、満っ開です！』

大きく空を振り仰いだとたん、枝いっぱいにたまっていた雨粒が直撃。『うひゃあっ』と叫ぶ私。

そこで、鵜野さんがこらえきれずにくすくすと笑い出した。鉄壁社長はほっぺたでどうにか笑いを止めている。もうっ、なんでこんなシーン活かしたんですかッ社長!? と私は内心、泣きたくなった。

『おめさんはここで何しとるんだが？』と声がして、『は？』と前髪から雨のしずくを垂らしながら私が答える。なんと、あの交通整理員のおじさんとのやりとりが、丸々活かされている。『いや、あの、いま録画中ですんで、ノータッチでお願いします』『録画中つったって、こんた大雨の中でどうするんだか？　桜は晴れてるときに撮らねと意味がねだべ？』のんきなやりとりがあって、絶望したように私が叫ぶ。

『全然だめだぁ。これじゃ真与さんの想い、遂げられないよぉ』

**真与さあ～～～ん！**

暗転した画面に、私の心の叫びが白文字になって、ぱっと現れる。たまらずに、鵜野さんが声を上げて笑った。鉄壁社長も。

ふと、真与さんに目を向けて、あっ、と私は小さく声を漏らした。

笑ってる。

マスクをつけたままで、真与さんは画面を食い入るようにみつめていた。その目が、笑っている。凪に撫でられた湖面のようにきらめいている。

場面が変わって、車窓を流れる雨のしずくが映し出される。風景を撮っているのか、雨粒を撮っているのかわからない。『雨、全然やまない……』と、私のため息交じりのつぶやきが入る。

『角館に一歩足を踏み入れたとたん、雨でした。だからもう、今日は角館を出て、いま、玉肌温泉に向かっています。……雨に濡れた桜の下を歩きながら、ずっと考えていました。真与さんは、こんな風景の中を歩いたんだなあ。お父さん、お母さんと一緒に』

ぽつん、ぽつん。静かな、やさしいアコースティックギターの音色が響き渡る。ああ、この曲。私が大好きな、カーペンターズの「青春の輝き」だ。

雨の角館の風景が、次々に連なって画面に現れては消える。淡いグレーの空の下、雨にそぼ濡れてもめいっぱい枝を広げる霞《かすみ》のような桜の群れは、しんとして美しかった。

考えてみると、旅することって、偶然でもあり、奇跡でもあるんですよね。大好きな人と旅をして、その旅先でお天気に恵まれて、いっぱいに桜が咲いている、なんて。

私の場合、桜は満開だった。でも、お天気には恵まれず、隣に大好きな人がいるわけじゃなし。

だから、あの日の真与さんは……みっつの奇跡のうち、もっとも大切なひとつと旅をしていたんですよね。

隣を歩く、大好きな人たち。お母さんと、お父さん。確かに雨は降っていたでしょう。でも、それはきっと大したことじゃなかったはず。

いちばん大切なふたりと、肩を並べて歩いていたんですから。

今日の私は……いまの私は……雨に降られて、胸の中に、真与さんの想いひとつを抱きしめて。

こうして、旅を続けています。

ナレーションとともに、雨の流れる車窓がゆっくりと画面から消えていく。そして、次に現れたのは……。

「あ……まさか」

鵜野さんが、囁くような声で言った。そのまま、右手を口に当てた。

画面には、まばゆい光景がいっぱいに広がっていた。

いちめんの、雪。真っ白な、春の雪が画面の隅々までを明るく照らしている。鵜野さんは、信じられない、というふうに、かすかに首を横に振った。真与さんの瞳が、雪の放つ白い光を宿して震えている。

『……雪、雪が降っています。……春の雪です。ああ、きれい。ほんとに、この風景の中へ溶けていってしまいそうです……』

しんしんと降る雪。と、その真ん中に、ひょこんと黒いパーカ姿の青年が現れた。

『おめさんは、丘さんだが？』

青年の口もとに笑みがこぼれる。きゅっきゅっと雪を踏みしめながら、青年が近づいてくる。カメラは釘づけになったかのごとく、青年の凜々《りり》しい顔をずっと追っている。

『ああ、よかっただス。玉肌温泉の者だス。こんたに雪が降ってきたがら、途中で遭難でもしねかと思って……』

**玉肌温泉　三代目湯守　玉田大志（三児の父）**

青年の姿にかぶせて、テロップが現れる。私の報告を聞くまでもなく、大志さんの正体はちゃんと調べられていた。「玉肌のイケメン湯守、有名らしいぞ」と社長がすばやく私に耳打ちした。

カメラが、両手に荷物を提げて歩いていく黒いパーカの後ろ姿を追いかける。川のほとりに佇む小さな宿に向かって、橋の上を遠ざかる後ろ姿。そのあとをさくさくとついていく足跡。

「……きれいだわ」

鵜野夫人がつぶやいた。無意識にこぼれた言葉、心に浮かんだそのままのつぶやきだった。

そのあとに、わあっと飛び出してきた子供たち。元気いっぱいに駆けてくる。お父ちゃ、雪だべ、雪だべ！　雪合戦すど！　と大はしゃぎで、私の姿をとらえていたカメラに向かって突進してくる。『こら、ほんたら引っ張ったら、カメラが……あわわっ』どさあっ、と派手な音がして、画面はホワイトアウト。鵜野さんはまた、こらえきれずに声を上げて笑った。真与さんの瞳も楽しそうに揺れた。

それから、宿の部屋や、料理や、子供たちが夢中で遊んでいる姿、静かな雪の夜の風景が映し出されたあと、ついに露天風呂の情景が画面に登場した。

『うあっ、さっ、さっ……寒いッ！』

どぼん、と湯に飛びこむ音。画面が湯煙で真っ白になる。『あー、これだから旅はやめられないんだあ』と思わずこぼれた本音に、「あら、まあ」と鵜野さんがくすくす笑う。私は赤くなった。

雪見風呂です。降る雪が、ほら、濁り湯にこんなふうにじわっと溶けて……。静かです。あったかいです。いま私は、この大自然と、ゆっくり、じんわり、ひとつになっています。

初披露の「セミヌード」シーン。やっぱり、ちょっと照れくさかった。けれど、自然の大きさ、あたたかさが、じんと伝わってくるいいシーンだった。鵜野さんも、真与さんも、社長までも、私の向かい側で一緒に湯につかって、降りしきる雪を心地よく頰で受け止めているような、そんな表情になっていた。画面に見入る三人の顔を眺めて、大志さんの絶妙なカメラワークに感謝せずにはいられなかった。

雪の降る漆黒《しっこく》の闇が、画面にゆっくりと広がる。そのまま、暗転。

## 4月26日　朝　ふたたび、角館

黒い画面に、白い文字が浮かび上がった。そして、現れたのは――。

ぴくり、と真与さんの指先が動いた。鵜野さんの口が、うっすらと開いた。ふたりの瞳に、すがすがしい青色が映りこむ。

画面いっぱいの青空。そして、画面いっぱいのしだれ桜。

息をのむほど美しい画《え》。青空の下、満開のしだれ桜の風景が広がった。

桜の木の下に、交通整理員のおじさんが登場する。画面に向かって、力いっぱい叫ぶ。

『真与さーん。角館の桜は日本一だス。おどさん、おがさんと一緒に、ぜひ、もういっぺん見にきてけれ。近くにおいしい喫茶店もあるんてがよ。桜眺めて、のんびりしてけれー』

角館駅をバックに現れたのは、窓側おばさんと通路側おばさん。

『真与さーん。お天気お姉さん、すごいわよ。きのうはひどい雨だったのに、今日は根性で晴れにしちゃったの。お姉さん、ありがとねー』

『ねえ真与さん、旅ってほんとにいいもんよ。こんなすてきな出会いがあるんだもの。あんたも勇気を持って旅に出なさいよ。わかった？』

ふたりして、声を合わせて楽しそうに笑った。

角館の人たちが、次から次へと登場する。資料館の受付のお姉さん、通りを歩く小学生たち、ベビーカーを押す若いお母さん、おみやげ物屋のおばさん、屋台のおじさん。真与さーん、来てけろなァ、と、遠くで暮らすなつかしい友に語りかけるように、みんなみんな、手を振って。

誰もがいい笑顔だ。咲き誇る桜に負けないくらい、まぶしい笑顔だ。まぶしい桜とまぶしい笑顔は、朝日に輝くまぶしい雪の場面に切り替わった。『真与さん。玉肌温泉の大志です』と、雪原を背景に大志さん一家が現れた。

『ご家族で、一度おれとこの温泉へ来てください。いーいお湯だス、自慢だス。いつでも大歓迎だス。待ってます』

『真与さん、大志のばっちゃだス。こんた田舎だども、おいしい魚や山菜、料理して食べてもらうス。待ってますから、来てけれなァ』

『太郎です』『次郎です』『ゆきなでしゅ』

『せえの。真与お姉ちゃ、来てけろなーっ』

元気いっぱいに手を振る家族を映して、真与さんの瞳が震え出した。

透き通った瞳が、みるみるうるんでいく。やがて、朝露がこぼれ落ちるように、眦《まなじり》から涙のしずくが伝って落ちた。幾粒も幾粒も、浮かんではこぼれてゆく。鵜野さんは、そっとまぶたを閉じた。その頬に、幾筋もの涙が伝う。

角館駅ホームに、アナウンスが響き渡る。

十六時二十六分発、こまち24号東京行きが到着します。白線の内側まで下がってお待ちください。

そろそろ、旅も終わりに近づきました。

今回、旅をしてみて、気づいたことがあります。

なつかしくて美しい風景、ささやかだけどあったかい出会いがあるから、旅に出たいと思う。

そして、「いってらっしゃい」と送り出してくれて、「おかえり」と迎えてくれる誰かがいるから、旅は完結するんだ。そんなふうに思いました。

この旅は、真与さん、あなたがいたから、できました。「いってらっしゃい」と送り出してくれて、「おかえり」と迎えてくれる。だからこそ、私、旅人になれました。

今度は、私が、そうしてあげたい。真与さん、あなたに「いってらっしゃい」と「おかえり」を、心をこめて言ってあげたい。

角館の人たちみんなが、あなたが来るのを待っています。あなたが来てくれたら、きっと言ってくれるはず。また来てくれたんだね、おかえりなさい。そんなふうに、笑顔で手を振って。

真与さん。生きて、どんどん生きて、旅へいってらっしゃい。

大好きな人と、青空の下、満開の桜の下、生きて、笑って、旅をしてください。

私は今日、旅をしました。

あなたがもう一度旅立つ日のために。

その日の夜、よろずやプロの社長室。

「旅屋おかえり・角館編」を再生中のパソコンの画面をみつめながら、市川さんが「あ。なんかおれ、風邪《かぜ》引いたかな」と、洟《はな》をすすり上げて後ろを向いた。

「なんだよ。いっちゃん、泣《か》いてんのか」

そう言う社長の目も真っ赤だった。寝不足と感動の両方で充血しているようだ。

「風邪だよ風邪」市川さんは言い訳しながら、向こうを向いたままで、

「よくやったな、丘ちゃん」

ひと言、褒めてくれた。私はうつむいたままで、何も応えなかった。

「まあこいつもよくやったけど、おれの編集も大したもんだろ」

社長が性懲りもなく言う。市川さんはようやく振り向いて、「はいはい。その通りですよ」とあきれ返った。私はやっぱりうつむいて、無言のままだった。

「どうしたんだよ丘ちゃん、えらく沈んでるね。『旅屋おかえり』最初の仕事は上出来だったんだろ。依頼主にも気に入ってもらったんなら、言うことなしじゃないか」

その通りだった。真与さんも鵜野さんも、私の旅の成果をそれは喜んでくれた。ふたりとも、なかなか涙が止まらなかった。鵜野さんは、ありがとうございます、と何度も

何度も頭を下げた。

満足してもらった、といっても差し支えはない。「旅屋」最初の仕事は、確かに成功したのだ。

けれど……。

顔を上げて、私は突然そう言った。社長と市川さんは、同時に私を見た。

「社長。私、やっぱり行ってきます」

「行くって、どこへ」

「鵜野華道館へ。……家元に、鵜野華伝氏に会いにいってきます」

社長はどんぐり眼で私を見ていたが、「何を言い出すんだ」と苦笑いを浮かべた。

「今回の旅の依頼主は真与さんで、お袋さんともどもじゅうぶん満足していただいたじゃないか。お前が出しゃばって家族の問題をひっかき回すのは、お門違いだろ」

「わかってます。だけど、私が真与さんの代理で旅をしたのは、青空と満開の桜を撮って、感動的な映像を作るためじゃない。余計なお世話かもしれないけど、私は、真与さんに……」

真与さんに、生きてもらいたい。その姿を、家元に見てもらいたい。

そして、もう一度、親子三人で旅をしてもらいたい。

それが私の気持ちのすべてだった。そう言いたかったけれど、言葉にできなかった。

社長のデスクの上に載っている「成果物」のＤＶＤのコピーディスクをつかむと、そのまま事務所を飛び出した。

赤坂駅の階段を駆け下りる。ちょうどホームに入ってきた地下鉄に飛び乗り、根津駅に着くとタクシーを停めた。「鵜野華道館まで」と告げる。携帯の時計表示を見ると、午後九時を回ったところだった。普通に考えて、家元が会館にいるような時間ではない。それでも行かずにはいられなかった。

いなかったら、このディスクを警備室に預けて帰ろう。それだけでも、何もしないよりはずっといい。

鵜野華道館の車回しにタクシーは到着した。ドアを開けて外に出た瞬間、すぐ目の前に停まっていた黒塗りの車に、和装の男性が乗りこむのが見えた。何人かのスタッフらしき人々が、うやうやしく頭を下げている。あっ、と気がついた。

家元だ。

「運転手さんっ、あの車を追って！」

行きかけたタクシーに再び飛び乗り、叫んだ。運転手があわてて車を発進させる。その拍子に、前の座席の背もたれにおでこをしたたか打ちつけてしまった。が、痛がっている場合じゃない。

自宅の前だろうが料亭の前だろうが、つかまえて話を聞いてもらおう。ディスクを預けるだけのつもりだった私の決心は、一気に膨らんだ。

恥を知れ、と家元が夫人に投げつけたという言葉が、まるで自分が聞いたかのようによみがえる。本心じゃない、と思いたかった。

強がっているんだ。ほんとうは、誰よりも真与さんを心配しているはずなんだ。すなおになれなくて、つい夫人につらく当たってしまうんだ。

車は家元の自宅のある代々木上原に向かうかと思いきや、まったく違う方向へと走っていった。これは料亭コースかな、と思いかけたとき、意外なところで車が停まった。

――御茶ノ水の、大学病院。

私は息を潜めて、タクシーの中から様子をうかがった。家元が車を降りる。一緒に乗っていたスタッフらしき人物が、大きな包みを家元に手渡した。包みを両手いっぱいに抱いて、家元は夜間入り口から病院の中へひとりで入っていった。

「お客さん、どうするんですか？　降りるんですか、それとも……」

運転手に尋ねられて、「降りますっ」と料金を支払い、急いで車を出た。夜間入り口に走り寄る。入ろうとして、警備員に「面会時間は終わってますよ」と呼び止められた。

「あっ、あの……鵜野流の者ですが、家元が車に忘れ物をしまして」

とっさに言い繕った。すると、「ああ、鵜野流さんね。家元、いま入られましたよ」

と返ってきた。

「とりあえず、こちらにお名前、お願いします」

広げられた入退出記録ノートに「鵜野　21:30」と名前と訪問時刻が書きこんである。私はすばやく行き先を見た。

507号室。

はっとした。真与さんの病室は508号室。その隣、ひとつ手前の部屋番号だった。

私は適当に名前を書いて、小走りに院内へ入っていった。

すでに五階に到着していたエレベーターが、一階まで下りてくる。ドアが開いて中に乗りこんだ瞬間、気がついた。

これは……花の香り。

何かはわからない。けれど、みずみずしい花の香りがエレベーターの小さな空間にかすかに残っていた。家元が抱いていた大きな包みを思い出す。布でくるんだ包みの端っこで、ふわりと揺れていた小さくて白いもの……。

エレベーターが五階に到着した。廊下に歩み出て、ふと、小さな白い何かが、無機質な床に落ちているのが目に入った。指先で、そっとつまみ上げる。

――桜の……花びら？

私は、足音を忍ばせて廊下を進んでいった。ナースステーションの前まで来て、受付の窓の向こうに看護師の高倉さんがいるのをみつけた。私が立っていることに気づいた彼女は、「あら、おかえりさん」とびっくりした顔ですぐに出てきてくれた。

「どうなさったんですか、こんなに遅くに。今日来られたときの忘れ物でも？」

私は、いえ、と首を振った。そして、「お願いです。教えていただけませんか」と声を潜めて言った。

「真与さんのお父さん……鵜野流の家元、いま507号室へいらっしゃいましたよね。真与さんはご存じなんですか」

高倉さんは、とたんに困ったような笑顔になった。そして、「おかえりさんには、話してもいいかしらね」と自分に問いかけるようにつぶやいてから、

「鵜野の奥さまと真与さんには、絶対に言わないと約束してくださいますか」

そう前置きして、私をナースステーションの中へ招き入れると、こっそりと打ち明けてくれた。

家元は、三ヵ月まえから、真与さんが使用している隣の部屋――507号室を借りていた。高額な特別フロアが満床になることはめったにないのだが、患者がその部屋を希望したらすぐに譲ることを条件に、室料を満額払って借りているのだ。そして、決して家族には話さないでほしい、と看護師たちに申し入れていた。三日に一度、自分がその部屋に花を活けにきていることを。

娘は動けなくなった分、聴覚や嗅覚が人一倍、敏感になったんです。だから、娘の部

屋に、花の香りを届けたい。

私があれの部屋いっぱいに花を活けたりなどしたら、あれは私に甘えてしまうでしょう。もはや自分の手で活けられなくなってしまった現実を直視して、悲しみがいっそう深まるでしょう。

だから、せめて——壁一枚隔てはしても、娘の命がある限り、あれの感性を信じて、花の香りを届けたいのです。

そして、空っぽの病室に、家元は花を活け続けた。沈丁花《じんちょうげ》、椿、水仙、百合《ゆり》、薔薇《ばら》……びっくりするような大きな花束を抱えて現れては、ひっそりと静まり返った水の底のような病室で、ひとり、黙々と活け続けた。看護師たちは、５０７号室のドアをそっと開け、いつも半分開けたままにしてある真与さんの病室に香りが届くよう、心を配った。

「真与さん、いつも花の香りを言い当てているんですよ。このまえは水仙だった、今日は薔薇ね、って。酸素吸入のマスクをつけるようになっても、お隣に活けられた花を知りたい、って、マスクを外して確かめて……」

お隣の方が、うらやましいな。いつも花に囲まれて、家族に、友人に愛されて、幸せな方なのでしょうね。

その幸せの香りを、少しだけ分けていただいて……私も、幸せなのよね。

真与さんは、そう囁いていたという。

ああ、だから――だからこのフロアに来ると、新鮮な花の香りが漂っていたんだ。世界にその名を知られた華道家である父、けれど誰よりも不器用な父が、たったひとりの娘のために活けた花。

誰にも見られず、称賛されることもない花。それでも、どんな作品よりも美しく、愛情こめて活けられた花。

「あ、家元が出てこられましたよ」

高倉さんが、ナースステーションの天井から下がっているモニターに顔を向けて言った。監視カメラが廊下に出てきた家元の姿をとらえていた。ナースステーションの前を通り過ぎるのを見計らって、私はそっと部屋を出た。足音を潜めて、和装の後ろ姿についていく。

「……家元」

エレベーターホールで、ぴんと張った背中に向かって、私は囁くように声をかけた。怒り肩がかすかに揺れた。その肩先をみつめながら、私は名乗った。

「丘です。……旅屋、おかえりです」

家元が、静かに振り返った。深い皺の刻みこまれた端整な顔立ち。家元らしい威厳に満ちた顔が、私を見ると、ふっと緩んだ。その表情に、驚きはなかった。

私に向かい合うと、家元は静かな声で言った。

「このたびは、角館へ……娘のために旅をしていただいたと聞いております。家内と娘のわがままに巻きこんでしまって、申し訳なく思います」

私は首を横に振った。

「いいえ。私の旅はまだ、完結していません」

家元は、一瞬、不思議そうな顔になった。私は、手の中に包んでいた桜の花びらをそっと差し出すと、言った。

「この花の咲く場所へ、真与さんが、お父さんとお母さんと一緒に、もう一度旅をする。それを『いってらっしゃい』と見送って、ようやく私は『旅をした』と胸を張って言えるんです」

家元は、じっと私の目をみつめた。その瞳には、真与さんの瞳に宿っていたのと同じ光が揺れている。祈りをこめて、私は言った。

「その日のために、隣の部屋でなく、真与さんの部屋に花を活けてくださいませんか」

わざわざ北国から取り寄せた、泣けるほど美しいこのしだれ桜を。

家元は、口もとに微笑を灯した。どんな言葉よりも、やさしいその微笑が、父である家元の気持ちを語っていた。

「そうだ」と私はバッグの中を掻き混ぜて、ディスクを取り出した。

「これ、旅の『成果物』です。よかったら、見ていただけませんか」

家元は、目の前に差し出されたディスクに視線を落とした。そして、もう一度、ふっと笑ってつぶやいた。

「『私は今日、旅をしました。……あなたがもう一度旅立つ日のために』」

え？　それ、どこかで聞いたセリフ……。

私は、目を瞬かせて家元を見た。シブい微笑が、照れくさそうな笑顔に変わった。そして、言ったのだった。

「今朝一番に、バイク便で、おたくの社長さんから届きました。『成果物』が」

あなたが見てくれなかったらこの旅は完結しない。従って、うちの事務所は廃業に追いこまれます、どうか助けてやってください。――と、ひと言、メモが添えられて。


「ったく、『旅屋』始めたはいいけど、大変な出費よぉ。パソコンが二十二万でしょ、編集ソフトが十万八千八百円、風呂敷が二千六百円、バイク便五千円。それから、タクシー代・根津―御茶ノ水が二千円……って、何これ、えりかちゃん？」

電卓を忙しく叩いて、のんのさんがぶつぶつ言っている。相変わらず仏壇のように巨大な旧式デスクトップパソコンを眺めながら、「旅の交通費の一部です」と私は言った。

「だって都内の移動でしょ？」のんのさんは憮然としている。

「でも旅の一部なんです」私はにっこり笑って返した。

「はあ。で、鵜野さんから報酬の入金、あるのかしらね？」

のんのさんがぼやく。私は、たぶんね、と言うにとどめた。


私の携帯に最高の報酬が届いたのは、その日の午後のことだった。看護師の高倉さんからの、「桜咲く」という件名のメールが。


**真与さん、人工呼吸器をつける手術をする決心をされました。**

**来年の春、角館へ旅をする。そう意気ごんでいます。お父さま、お母さまとご一緒に。**


添付の写真。家元と夫人が、笑顔で真与さんを囲んでいる。真与さんの枕元には、しだれ桜がいまを盛りに咲き誇っていた。

# 7

もしもし、母さん？　私。

旅、してきたよ。とびきり、すてきな旅を。

そう、「旅屋」の仕事で。このまえ、電話でちょっと話したよね。新しい仕事を始めたんだ。

旅したくてもできない人の依頼を受けて、私が代わりに旅をするの。そんなおかしなこと頼む人がいるのかって？　いるんだなあ、これが。まあ、こんな世の中だからね。一風変わった仕事かもしれないけど、案外成り立つかもしれないって、鉄壁社長は期待してるみたいよ。

そりゃあ、芸能界の仕事とは……ちょっと、というか、まったく違うかもしれないけど。

ううん、芸能界から引退したわけじゃない。ちょっと寄り道して、こんな仕事もいいかな、って思っただけだよ。そのうち、大きな仕事をするつもり。みんなをびっくりさせるような、すごい仕事。まあ、時間はかかるかもしれないけど、気長に待っててくれるかな。

忘れてないよ。父さんとの、約束だもん。

ただ、ちょっと寄り道してるだけ。……まあなんていうか、人生という旅の途中でね。

じゃあね、母さん。おばあちゃん、恵太によろしくね。

どうやら、恵理子がまた旅を始めたらしい。そう伝えてね。

社長室からダミ声の歌が聞こえてくる。なんの歌だかわからないが、もう一時間以上もまえから、同じところばかり繰り返して歌っている。

「どうかしちゃったのかな、社長？　相当ご機嫌みたいだけど」

ポンコツのパソコンを眺めながら、いよいよダミ声が耳障りになってきたので、隣のデスクで電卓を叩いているのんのさんに聞こえるようにつぶやいてみた。

「そりゃご機嫌よぉ」のんのさんが反応した。こちらも歌い出しそうな声で。

「なにしろ、入金があったんだからねえ。鵜野流家元から」

思わず立ち上がりそうになったのをこらえて、

「あ、そうなんですか。あったんですか。入金が」

わざと落ちつき払った声を作ってみた。のんのさんは、ふふん、と笑って、

「あんたちゃんと仕事したんでしょ？　だったら報酬いただいてあたりまえじゃないのぉ。何動揺してんのよッ」

輪ゴムを指先で引っ張って、バキュンと飛ばしてきた。おでこに命中して、「あたっ！」と声を上げる。

「もうっ、いじめないでくださいよぉ。事務所唯一のタレントを……」

情けない声を出してしまってから、謹んで尋ねる。

「それで、報酬額はいかほどで？」

「さあね」涼しい顔で電卓を叩いて、のんのさんはそっけない。

「社長から『えりかには言うな、調子に乗るから』って言われてんのよ。ちょっと教えられないなあ」

私は唾を飲みこんだ。そこはかとなく「結構な金額」感が漂っている。これは社長に直訴するしかなさそうだな。

社長室のドアの前に立つと、中から相変わらず同じフレーズの繰り返しが聞こえてくる。何度かノックしたが、まるで返事がない。ドアを開けてのぞいてみた。

鉄壁社長のご機嫌な顔が、デスクの上のノートパソコンと向かい合っている。巨大なギョーザみたいな両耳にイヤホンを突っこんで、カシャカシャとキーボードを叩く。私

が目の前に立ってもまだ気がつかない。しびれを切らして、片っぽのイヤホンを引っこ抜いてやった。

ようやく顔を上げた社長は、「よお、えりか。来てたのか」と相好《そうごう》を崩した。

「そりゃ来てますよ。いちおう社員ですから、朝十時にはちゃんと出社してます」

「何も定時に出てこなくたっていいんだぞ。お前はうちの事務所唯一の『旅人』なんだからな」

「タレント」じゃなくて「旅人」になっている。鵜野さんから入金があって、「こりゃいける」ってことになったんだろうか。

「ちょうどよかった。お前に見せたいものがあったんだ。ちょっとこっちへ来い」

手招きされて、「なんですか」と社長の隣へ行く。パソコンの画面いっぱいに、空を仰いで半泣き顔の私が映し出されている。いつもそうなのだが、社長は私の動画をいちばんヘンな顔のところで停止するのが特別にうまい。なんでソコで止めるんですか⁉とわめきたくなるような顔のところでピッと止めて、「さて、このあとの展開ですが……」などと、平気で会議を進めたりする。こういうのも一種の才能なんだろうか。

アゴに「梅干し」をこしらえて止められている自分の顔を、きっと同じ顔で見ていたのだろう。社長は「まあそんな顔するな。おれが作ったホームページなんだから」と言った。

「ホームページ？　社長が、ですか？」

「そうだ」と社長は胸を張った。「ＵＦＯもおれが取得したんだぞ」

「ＵＲＬでしょ」とすかさず突っこむ。「Ｕしか合ってないですよ」

「『ダブリュダブリュダブリュ点、タビヤオカエリ点、ジェーピー』だ」気にせずに社長が続ける。

「点じゃなくて、ドットです」ここで訂正しとかなくちゃ、このさき一生「点」って言い続けそうな気がする。

「いちいちうるせえなお前は。ま、とにかく見てくれ」

社長の指が、カチリとマウスをクリックした。

とたんに、超アップの私の半泣き顔が笑顔に変わり、「晴れたあ〜ッ」と叫ぶ。軽快なＢＧＭに乗って、私が角館や玉肌温泉で撮ってきた画像が次々に現れ、それにテロップが重なっていく。


伝説の旅番組「ちょびっ旅」が打ち切りに⁉

『そんな馬鹿な……』

『旅するおかえりがもう見られないなんて』

『おかえり、また旅をして〜ッ！』

全国のおかえりファンのために、旅人・丘えりかが大復活！

なんと、とっておきスペシャルな旅をしちゃいます。

しかも、あなたのためだけに——。


旅代理人「旅屋おかえり」ついに開業！

あなたに代わって、おかえりが全国どこでも旅に出かけます！

旅のご依頼、受付中！
☆なお、ただいま開業記念フェア実施中につき、報酬は応相談☆

私は、目を点にして画面をみつめていた。カメラに向かって笑顔で手を振る私の姿がフェイドアウト。と、デスクの上に、よっこらしょ、と脚を組んで座るのんのさんが唐突に現れる。色っぽい目つきで、『お問い合わせは、ホームページまで。待ってるわん』と伝説の悩殺ウインク。動画はそこで終わっていた。


「どうだ。この動画をホームページとＹｏｕＴｕｂｅの両方にアップするぞ」

満足そうに社長が言った。私は、がっくりと肩から力が抜けてしまった。なんなんだ、「開業記念フェア」って。

第一回「旅屋」サービス——というのもしっくりこないのだが、これは依頼人にご満足いただく旅を代行する「サービス業」といえるんじゃないか、との鉄壁社長の判断で、そう呼ぶことになった――遂行後、この先このビジネスをどう繋げていくか？　と具体的な検討が行われた。

　出席者は、社長、のんのさん、元「ちょびっ旅」ディレクターの市川さん、そして私。市川さんは、乗りかかった泥の舟に乗せられてしまった感じで申し訳なかったが、初めての「旅屋」業務遂行にあたっては何かとお世話になったので、心強かった。

「ところでさ。『旅屋』やるのに、旅行代理店業の資格とか免許とか必要ないのかね？　旅行代理店のカウンターへ行くと、なんとなく壁にそれっぽいものが貼り出されてたような気がするけど」

　市川さんは、いきなり現実的な意見を述べた。

「あら、航空券やJRのチケットを扱うわけじゃないわよ？　ホテルの手配をするわけでもないし。むしろ、こっちが旅行代理店を使うくらいなのに、サービスの性質が違うんじゃないの？」

　のんのさんがもっともらしいことを言った。そりゃそうだな、と市川さんは納得した。

「おれも血眼になってネット検索してみたけど、この『旅屋』的なビジネスをやってるやつは誰もいない。間違いなくうちの特許だ」

　社長が誇らしげに断言した。すぐにのんのさんが、「じゃあ特許申請しなくちゃね」

と真顔でノートに書きこんでいる。市川さんは両腕を組んで、あらためて感心しきりの顔で言った。

「まあ、確かにかなり特殊なサービスだわなあ。タレントが依頼人になり代わって日本全国どこでも行ってなんでもするなんて、鉄壁さんと丘ちゃんのコンビじゃなきゃ思いつかんよ」

「危険区域への侵入や危険な業務の代行はお断りです」

念のため、私は言い添えた。あくまでも仕事はこちらで選ばせていただくようにしてもらいたい。

市川さんは苦笑して、「いや、しかしさ、丘ちゃん」と真面目《まじめ》に続けた。

「旅っていうのは自分で行って体験してなんぼだろ？　厳しいことを言うようだけど、いくらタレントおかえりがお出ましだからって、自分の代わりに旅をしてほしいって御仁がそうそういるとは思えないんだよねえ。しかもタレントひとり動かすとなると、結構金もかかりそうだし。……まあ、鵜野一家の場合は偶然にもああいうことだったわけで」

市川さんの言っていることは、まったくその通りだった。

旅を頼みたい切羽詰まった理由があって、報酬を払えるだけのお金も持ち合わせている。そういう人が、いったいこの国にどれくらいいるだろうか。

鵜野さんの場合は、たとえは悪いが、棚からぼたもちというか、ひょうたんから駒、だった。それに、実際、報酬目当てという感覚は私にはなく、人助け的な感覚のほうが強かった。だから、たとえ鵜野さんが一円たりとも報酬を払ってくれなかったとしてもよしとしたと思う。依頼人がじゅうぶんなお金持ちで、なんらかの楽しみや満足感を得るために私に旅を依頼したとしたら、喜んで報酬をいただくだろう。けれど、ひょっとして、お金はないけれど何かの理由でとても困っている人が旅を依頼してきたら、助けてあげてしまうんじゃないか。社長も私も、そういう場面では鬼になりきれないところがあるのだ。

ビジネスというよりは人助けに近いものになっちゃうかも、と私が正直に告げると、

「まるで『ブラック・ジャック』だな」

と、また市川さんが苦笑した。

「あらあ、大丈夫よ。えりかちゃんには菩薩《ぼさつ》のフリしてもらって、あたしが鬼になってふんだくるから」

のんのさんが真っ赤なルージュの口をぐわっと開けてみせた。とはいえ、元祖肉食女子ののんのさんだって、いざとなれば鬼になりきれないキャラなのだ。

「報酬額はどの程度にするつもりなんだよ、鉄壁さん?」

市川さんに訊かれて、社長は、ふむ、と鼻で息をついてから、「『時価』ってとこだ

な」と答えた。

「今度はアワビの握りみたいだね」

市川さんが笑う。

「依頼人とよくよく相談して決めるさな。えりかの言う通り、金持ちで自分の楽しみや何かの記念のためなら、そりゃある程度頂戴したって構わねえだろう。だがなあ、困ってる貧乏人から身ぐるみ剝ぐようなこたあ、おれらには到底できねえよな。例えばだぞ、死にかけているお袋さんに会いにいきたいんだけど、金がなくて会いにいけない依頼人の代わりに行くふるさとへの旅とか……」

市川さんが、うんうん、とうなずいて、しみじみとつなぐ。

「老いた父の病気を治してくれる薬草を、山のてっぺんまで摘みにいく旅……」

社長も、そうそう、とうなずいて呼応する。

「貧しくて給食費も払えない家庭の子供の代わりに、ディズニーランドに行って思いっきり遊んで、ミッキーマウスとツーショットの写真を撮ってくる旅……」

はあああっ。社長と市川さんと私、三人して深いため息をつく。のんのさんだけが、あきれ果てて私たちを眺めている。

「あんたたちって、ほんっとに馬鹿ねえ」腰に両手を当ててため息交じりに言った。

「このさきどんな依頼がくるかなんて、やってみなくちゃわかんないじゃないの。余計な心配してる間に、顧客開拓する営業方法をさっさと考えろっつうの」

ごもっとも、ということで、とりあえずはホームページを立ち上げることになったわけだ。

とはいえ、ホームページ開設の方法など、IT知識がゼロに近い私たちが知るはずもない。またもや市川さんが助け舟を出してくれて、ADの奥村君を差し向けてくれた。いまどきの若者の奥村君は、IT全般に詳しく、ドメイン取得の方法やホームページの作り方など、懇切ていねいかつ簡潔に鉄壁社長に伝授してくれた。記事やブログのアップなど、今後継続して行う操作の一切は基本的に社長が責任者、ということになった。

社長が決定した「旅屋」のサービス内容は、こうだ。

営業ツールは基本的にインターネットのみとする。依頼人は、いつ、どこへ、なんのために、なぜおかえりに旅をしてもらいたいかをメールに書いて、ホームページに設けた連絡先へ送る。その際、簡単なアンケートに答えてもらうようにする。氏名、住所、年齢、電話番号、職業。ほんとうは、年収、という項目も入れたいところだが、焦らないことにする。

こちらは集まってきたメールを吟味して、最大で週に一件のみ、依頼を受ける。殿様商売のようだが、ていねいなサービスをしようと思えばこれが限界だろう。

報酬額は、「応相談」とした。依頼人によってピンキリになるだろう。ウン百万ということもあれば、これはちょっといただくわけにはいかない、ということもありうる。そこは「ブラック・ジャック方式」——手塚治虫《てづかおさむ》の医療コミックの名作『ブラック・ジャック』に倣《なら》って、お金持ちからは当然高額の報酬をいただくが、貧しく善良な人々には無料奉仕も辞さない、というポリシー——とした。もともと降って湧いたようなビジネスなのだ。ボロ儲《もう》けを狙うよりは良心優先とする。

依頼人が決まったところで、よろずやプロへご足労いただき、そこで詳しく事情を話してもらう。そのときに、旅のおおまかな行程を決め、「成果物」のかたちについて希望を聞く。

旅の「成果物」の方法とかたちは、依頼人の希望に沿う。DVD、レポート、メール、手紙、絵葉書、電話、スカイプ……なんであれ、「旅の成果」として「納品」する方法と最終的なかたちを指定してもらう。

旅が終わって、私がこの「成果物」を依頼人に届けたところで任務終了となる。

「契約書を交わすとか、報酬の振りこみは納品後一ヵ月以内とか、そういう肝心なところがぜんっぜん抜けてると思うけど」

サービス内容と方針を社長に伝えられて、のんのさんが指摘した。

「相手に会った時点で、そういうのが必要な人物かどうか、こっちで判断すりゃあいい。おれもだてにこの世界で永らえてるわけじゃねえぞ、どんな人物か見抜くのだけは得意だぜ」

社長は飄々《ひょうひょう》としている。確かに、このどんぐり眼は何より「人を見る目」なのだ。

「どうだ、えりか。そんな感じでいけそうか？」

尋ねられて、私は、はい、とうなずいた。

「旅をするだけさせられて、ギャラ取りっぱぐれる可能性もあるぞ。いいのか？」

もう一度、うなずいた。

「私、旅はしても、『旅をさせられる』ことなんてないですから」

それを聞いて、社長も満足そうに、ひとつ、うなずいた。

どこへ行こうと、どんな旅であれ、それは心躍るできごとに違いない。旅する日常が、また戻ってくるとしたら、こんなに嬉しいことはない。

だから、たとえ依頼人に頼まれたものであっても、「旅をさせられる」なんてことはない。きっと私は、いつだって、自分から進んで旅に赴くだろう。自分で考え、感じ、味わって、存分に楽しむはずなのだ。

そう思ってから、ふと、依頼人となる人は、おそらく私と真逆の立場にある人なんだ、と気がついた。

自発的に旅をしたくても、できない人。あるいは、しようとしない人。

それはいったい、どんな人々なのだろうか。

「旅屋おかえり」の唯一の営業ツールとなるホームページは、結局、市川ディレクターの厳しくも愛情あふれる監修のもと、ADの奥村君が編集し直して、ようやくネット上に公開された。

　ＢＧＭにはさわやかなアコースティックギターの曲が選ばれ、動画のほうは、恐縮ながらのんのさんには消えていただいて、私が地元の人々と楽しげに交流する映像や、カメラマンの安藤さん提供の日本各地の風景写真などが編集されてアップされた。ホームページのデザインも、奥村君の友人のプロのウェブデザイナーが無償でやり直してくれて、ちょっとのぞいてみたい気分になるものに仕上がった。

「まあとにかく、こんな珍ビジネスがほっとかれるわけがねえぞ。がんがんメールがきて、お前も来週あたりから忙しくなるはずだ」

　結局、鵜野さんからどれほどの入金があったのか知らされないままだったが、「次の旅にすぐ出られるように支度にかかっとけ」と、社長の采配で「支度金」が出ることになった。私はうきうきして、さっそくヘアメイクのみっちゃん、スタイリストのミミちゃんにメールをし、初夏らしいメイクとスタイリングについて相談にのってもらった。それからショッピングしたりして、久々に充電もできた。

　かくして、社長の予想は見事的中した。

ホームページ開設直後から、大量にメールが送られてきた。が、そのほとんどはスパムメールだった。「なんじゃこりゃあ」と社長が悲鳴を上げて、奥村君に飛んできてもらった。対策を講じてもらい、スパムはすぐにブロックできた。

が、今度は「旅屋」を疑問視したり揶揄《やゆ》したりするメールばかりになった。「ほんとにおかえりが旅するの？」「嘘つけ」「やれるって証拠を見せろ」など興味本位のメールや悪意に満ちたメール、「デートしてほしい」「一緒に温泉に行ってほしい」などあきらかに目的の違う要望、「予約の取れないレストランで三日以内にフルコースを食べてきて」「飛行機のファーストクラスでサウジアラビアに行って一泊百三十万のスイートに三連泊してきて」などとかなわない夢を託されたりと、ほとんど返信する気も起こらないようなメールばかりだ。まじめな依頼人からの現実味を帯びたリクエストメールは、ただの一通も届かなかった。

「やっぱりさあ。鵜野さんのケースは例外中の例外ってか、ほとんど奇跡的だったのよねえ。よく考えてみりゃ、市川さんの言った通りだわよ。あんなことがそうそうあるわけないじゃない」

副社長専用のおんぼろパソコンで、いまや朝から晩まで問い合わせメールの内容をチェックすることが仕事の中心になってしまったのんのさんが、うんざりした調子でぼやく。

マウスをカチカチいわせて怪しいメールをどんどん削除しながら、「そうですねえ」と、私は力なく応答する。

初めのうちは、「これはお前の仕事じゃないから」と社長に問い合わせメールの内容をチェックさせてもらえなかったのだが、もはやそんなことを言っている場合じゃない。ちょっとでも現実味のあるメールを最初に拾い出すのは誰か、社長とのんのさんと私の三人は、ここ数日間、競い合うようにしてパソコンとにらめっこをし続けていた。

「やっぱあれよねえ。ちゃんとした料金表もないような商売じゃ、お客さんも食いつきようがないわよねえ」

カチカチカチカチカチ、クリックしながらのんのさんが続けてぼやく。

「そういうもんですかねえ」

カチカチカチカチ、私も負けじとクリックして応える。

「だってさあ。『報酬は応相談』って、探偵事務所や弁護士事務所じゃあるまいしさ。それに、なんにせよ芸能事務所が絡んでるとなれば、なんかぼったくられそう、って思うんじゃないの？」

「はあ。まあ、確かに」

「それにさあ。元アイドルが旅する、ってのもねえ。現アイドルの売れっ子ならともかく、丘えりかでしょ〜？　旅先で『お天気お姉さん』に間違えられる程度の顔の知られ方なわけでしょ～？　それってどうなのかしらねえ」

「………」

「ピチピチのヤングギャルが旅するってのなら見てみたいけどさあ。三十路《みそじ》を超した売れないタレントじゃねえ」

　いつもならのんのさんの毒舌もへっちゃらなのだが、こういう状況で聞くとけっこうズシンとくる。キレかけるのをなんとかこらえながら、私は黙々とクリックを続けた。のんのさんは延々と毒舌で私をちくちく刺し続けたが、やがて黙りこくった。

　現実味のないメールを黙々と削除する作業に全員没頭して、静まり返る事務所。けれど、この静けさは長くは続かなかった。

「旅屋」のホームページを開設して一ヵ月近く経った頃から、ようやく「本気らしい」問い合わせが舞いこむようになった。問い合わせフォームにある「どうして『旅屋』を知ったのですか」という質問に、「知り合いに聞いた」「ツイッターを見た」という答えが増えた。玉肌温泉の大志さんから伝え聞いたり、真与さんがツイッターでつぶやいてくれたり、市川さんやみっちゃん、ミミちゃんの元「ちょびっ旅」ファミリーがけんめいにブログや口コミで広めてくれていたようだ。「口コミほど強いＰＲツールはねえぞ」との鉄壁社長の言葉通り、やがて本気の依頼が一気に増えた。

　そうして私は、いよいよ本格的に「旅人」稼業を再開することになった。あれほどまでに望んでいた通りの日常——旅が真ん中、旅の真ん中の生活が、また始まったのだ。

いろんな依頼人、いろんなケースがあった。お年を召したご両親の金婚式のお祝いに思い出の地へ、とか、遠く離れた恋人へメッセージを届けに、とか、心がぐんぐんあたたまる旅。かと思えば、ご当地グルメ食べくらべ、地酒の飲みくらべ、なんていうリサーチまがいの役得旅。病気で亡くなってしまった娘さんの遺言で、「私の代わりにお母さんと一緒に温泉旅行に行ってください」なんていう、涙なしには語れない旅もあった。

毎回、旅するまえに依頼人との面接を行った。たいていの依頼人は、強面《こわもて》の鉄壁社長と対面して、最初はぎょっとする。社長の顔を見ただけで「やっぱりいいです」と帰ってしまう人もいた。けれど、どうして旅を依頼したいのか話すうちに、誰しも思い出語りや身の上相談のようになってしまい、最後には、親身になってじっくりと耳を傾け、そしてときに的確なアドバイスをする社長に、全幅の信頼を寄せるのだった。報酬をいただけるかどうかいつも注意深く検討するのんのさんも、場を和ませたり盛り上げたりする名物スタッフになっていた。ありがたいことに、ほぼすべてのケースで予想を上回る報酬をいただいていた。中には、これはいただくわけにはいかない、と思えるケースもあった。そんなときは、鉄壁社長に「報酬は『ありがとう』のひと言でいいですよ」などと、カッコいい決めゼリフを言わせてあげることにしていた。

「旅屋」を通して、つくづくわかったことがある。それは、人の数だけ旅模様がある、ということ。

あたりまえのことかもしれない。けれど私は、「旅をしたい誰か」に代わって旅することで、そんなあたりまえのことが、なんだかとてつもなくすばらしく感じられ、ときにせつなく胸打たれた。たとえ同じ季節に同じ場所へ行ったとしても、旅する理由や目的が違えば、まったく違う旅になる。そして、どんな旅であれ、旅をしている喜びを、幸せを、私はいつも胸いっぱいに感じていた。

そんなふうにして、「旅屋」を続けてきた。

心をこめて、こつこつと、依頼人になり代わって旅をした。気がつくと、「旅屋」を始めて半年が経っていた。依頼人の方々が「旅屋」のホームページに心のこもったユーザーレビューをアップしてくださったおかげもあって、評判は上々、のんのさんいわく「まともな」依頼が引きも切らず舞いこむようになった。

こんなふうに、旅を続けられればいいな。

かつてアイドルだったタレント・丘えりかは、もう誰の記憶にも残っていないかもしれない。ひょうきんな顔を作ってご当地グルメをパクついていたテレビの中の私のことなど、すっかり忘れられるのは時間の問題だろう。

けれど、どこかの誰かのために旅をする「旅屋おかえり」のことを、どこかの誰かが覚えていてくれるといいな。そうしたら私、また元気に「いってきます」と手を振って、出かけていけるから。


もしもし、母さん？　私。

うん、元気よ。元気に、旅してる。

旅屋、絶好調。いろんな人の代わりに、いろんな旅をしてるよ。どんな旅だったか、ひとつひとつ、母さんに、話して聞かせたいな。だけど、話せば長い旅ばっかりで。

ひとつ、旅をするたびに、ひと回り、大きく成長させてもらってる。そんな気がするんだ。

明日も、あさっても。また旅に出るの。うん、大丈夫。元気だよ。私はいつも、元気だよ。

みんなも、元気でね。風邪引かないでね。無理しないでね。

じゃあ、またね。いってきます。

# 8

二十件目の業務完了を果たした日の夜。

鉄壁社長が「お疲れさん会だ、おごってやるぞ」と珍しく私を誘ってくれた。すかさずのんのさんが「あら、あたしは？」とくっついてこようとしたが、行き先が社長行きつけのラーメン屋「一点晴」と知って、露骨に不愉快そうな顔つきになった。

「なあんだ、シケてるわねえ。フレンチのフルコースじゃないの？」

「もう夜十一時近いんだぞ。いまからフルコース食わせてくれるフランス料理屋がどこにあるってんだ」

「そんな時間まで残業フルコースさせてんのは、どこのどなたかしらねえ」

たっぷり嫌みを言って、のんのさんはさっさと帰ってしまった。

「ったく、あいつはいくつになっても贅沢《ぜいたく》病が治らねえから困る。アイドル時代にちやほやされすぎた名残《なごり》がいまだに抜けねえからなあ」

夜の赤坂の街を歩きながら、社長がぶつぶつ言っている。大手プロダクション十社がこぞって争奪戦を繰り広げたとか、イケメン俳優AとかBとかCとかに同時にプロポーズされたとか、のんのさんのアイドル時代の武勇伝はいつも本人から耳タコなほど聞かされていたが、どこまでが真実なのかわからなかった。というか、ほとんど真実はないんじゃないか、と思っていた。

「そんなにちやほやされてたんですか」と訊くと、社長はため息とともに答えた。

「まあ最初の一、二年はな。お前とおんなじだ。この業界ってのは、ほんとに血も涙もねえとこだからな。売れてるときは寄ってたかってちやほやするくせに、売れないとなると、引き潮みたくさあっといなくなっちまう。因果な世界だよ」

それはじゅうぶん私も経験した。仕事を干されたときのあのわびしさは、いま思い出しても胃が痛くなる。

「まあ、あれだ。幸いにも、おれたちゃ命拾いしたってわけだぁな。そんな因果な商売をやってるよりは、人さまに愛と勇気と感動を直送する『旅屋』のほうが、百万倍いいってこった」

ガハハ、と大口を開けて笑っている。私にとっても生き馬の目を抜くがごとき競争過多の芸能界で苦しみ続けるよりは、旅することに感謝し依頼人に感謝される「旅屋」のほうが、ずっと気分が楽だったし、気持ちがよかった。

鉄壁社長、続いて私が、入り口の黒い引き戸を開けて「一点晴」店内へ入っていく。

「らっしゃ〜い。お、鉄壁さん。おひさしぶり」

カウンターの中から黒いTシャツの大将が元気よく声をかける。「よ、大将。ごぶさた」と機嫌よく社長が応える。ここまではいつものやりとりだ。が、そのあとが違った。カウンターの一番隅でうつむいていた顔が、ふとこちらを向いた。その瞬間、胸が鳴った。

「あれ？　鉄壁さん、どうも。お疲れっす」

振り向いたのは、慶田盛元だった。

「わあ、元ちゃん」と私は、つい甘ったれた声を出してしまった。アラサー女の悲しい性《さが》か、元カレに期せずして会うとこの調子になってしまう。

「おお、なんだ元、珍しいな。ひとりラーメンか」

その昔、恩をあだで返すようによろずやプロを裏切って出ていってしまった俳優に向かって、鉄壁社長は出来のいい甥《おい》っ子にでも会ったように、なつかしそうに近寄っていった。

「TVSで収録カンヅメになってて、もうブチ切れ寸前だったんで、フケてきたんですよ」

社長は親しげに元ちゃんの横に座った。私は社長の隣にちんまりと座って、水の入ったコップに口をつけた。何も悪いことをしたわけでもないのに、自然と冷や汗が出てく

る。社長は上機嫌で、

「大将、ビール二本とネギ味噌大盛りふたつな。味玉子付きで。コップ、こっちのイケメンにも出してやってくれ」

はいよ、と大将が応えた。

「あ、おれはいいです」と元ちゃんが遠慮した。「まだこのあとも収録あるんで」

「何言ってんだ、天下のケダゲンがちっとばかし引っかけてきたからって、誰も文句は言わねえだろ。さ、飲め飲め」

元ちゃんのコップに泡ばっかりのビールを注《つ》いで、「ほれ、お前も」と、私のほうへ瓶を突き出した。

「なんつっても今日はえりかのお疲れさん会、ってか、まあお祝いみたいな日だからな。ほれ、コップ出せ」

「へえ、お祝い？　なんのお祝いなの」

社長の肩越しに、元ちゃんが涼しげな視線を投げてきた。私は、飲んでもいないのに、顔が赤くなるのを感じた。

旅をしてるの。

旅をしたいのにできない人のために、私、ずっと旅をし続けてるの。それが二十回を超えたんだよ。そのお祝いなんだ。

ありのまま、そう言えばいい。なのに、私の口は動かなかった。

「こいつ、いい仕事をしてくれてんだ。そのお祝いだよ」

社長がそう言って、んじゃ乾杯、と、一方的に、元ちゃんと私の泡だらけのコップにこつんと自分のコップを合わせた。元ちゃんはビールには口をつけずに、意味深な笑みを浮かべて、

「知ってるよ。『旅屋』だろ？」

社長の肩越しに、もう一度、私に向かって言った。その言葉の端に、ごくわずかな軽《けい》蔑《べつ》の響きがあるのを私は感じ取った。そんなにまでして旅がしたいわけ？　と言われたようで、私はさっきよりももっと赤くなってしまった。

「ああ、そうだとも。『旅屋』だ」

空になったコップをカウンターに勢いよく置くと、社長がきっぱりと言った。

「えりかは旅をさせたら最高の役者だぞ。どっかのイケメン俳優たぁ器が違わぁな」

「あ。そうすか」元ちゃんはしれっとして返した。

「ま、おれ的には『旅屋』ってのは新鮮でしたけどね。売れなくなったらそういう商売に鞍替《くらが》えでききんのかあ、って。だって、売れっ子で顔知られてたらできないっしょ、そんなこと」

ふふん、と鼻で笑ってから、

「あ、ちなみにうちの社長もおんなじ意見でしたよ」

取って付けたように言った。

宿命のライバル・常盤千一を持ち出されても、社長は冷静だった。手酌でもう一杯ビールを自分のコップに注いで、喉を鳴らして飲み干すと、再びカウンターに泡のこびりついたコップを置いて、上機嫌の声に戻って言った。

「なあ元よ。お前ほどの売れっ子になれば、旅したくてもできないとこがあるだろ？だったら、うちに頼みにこい。いつでも歓迎するぜ」

どうも、と元ちゃんは立ち上がった。

「伝票置いてけ。ここはおれ持ちだ」社長が言うと、

「こっちのセリフです」元ちゃんは自分の伝票と社長のラーメンのどんぶりの横に置かれた伝票の両方を、くしゃっと握った。

「お祝いなんでしょ？　おれが持ちますよ。じゃ、えりちゃん、またね」

ちらりとこっちに目配せすると、五千円札をカウンターに叩きつけて、釣り銭も取らずに行ってしまった。

私は、目の前に置かれたネギ味噌ラーメンのどんぶりに視線を落とした。

記念すべき二十件目の業務完了の日。今回もまた、依頼人に喜んでもらえたのが嬉しくて、成果物のＤＶＤを繰り返し眺めたりホームページにアップされたレビューを隅々

まで読んだりして、夕方に菓子パン一個食べたきり、まだ夕食を食べていなかった。それなのに、私の食欲はすっかりどこかに消え失せてしまった。

「どうした。さっさと食え、のびちまうぞ」

私がうなだれるのをわざと無視して、鉄壁社長は猛烈な音を立てて麺をすすった。その横で気づかれないように、そっとため息をついた。

なんだろう。なんだかもう、すっかり、がっかりだ。

ふたつのことに私は打ちのめされてしまった。ひとつは、元ちゃんが私たちの仕事をどことなく蔑《さげす》んでいると感づいてしまったこと。そしてもうひとつは、私自身が、胸を張って「旅してるんだ」と言えなかったこと。

売れっ子俳優の元ちゃんから見れば、確かに「旅代理人」なんて滑稽《こっけい》な仕事だろう。この業界で仕事を得られず、起死回生を図って始めた仕事が「旅屋」だなんて、落ちたもんだと思われても当然かもしれない。いっそ潔く脱いだほうが、きっとこの業界では「あいつもやるな」と思ってもらえるはずだった。ヌードになるでもなく、テレビショッピングに出演するでもなく、焼き肉屋を開業するでもなく、議員に転身するでもない。ましてや嫁にいくわけでもない。売れなくなったタレントの「その後」として、誰も想像しなかったことを私はやっているのだ。笑われたって、しょうがない。

情けないのは、たとえ一瞬でも、旅することに後ろめたさを感じた自分に気づいてしまったことだ。それが何よりこたえた。

旅していることを、元カレに対して堂々と宣言できないなんて。いくら第一線で活躍している元ちゃんがまぶしいからって、自分のやっていることがそれに劣っている、なんて、私、思ったんだろうか。

がっくりと肩を落としたまま、なかなか箸を持つ気になれなかった。大将が心配して、「おかえりちゃん、それもうのびちゃったよ。作り直そうか」と声をかけてくれた。社長が最後の麺をひと吸いして言った。

「いいんだよ。昔の仲間が出世すんの見ておセンチになってんだ。ほっとけ」

私の複雑な胸中をひと言でまとめられてしまった。

ガラガラと背後で入り口の戸が開く音がして、「よお、鉄壁さん。お待たせ」となじみの声が聞こえた。なんとも絶妙なタイミングで、今度は市川ディレクターの登場だった。

「よう、いっちゃん。待ってました、ここ、ここ」

社長はすっかり上機嫌に戻って、さっきまで元ちゃんが座っていたカウンターの隅っこの席を市川さんに勧めた。

「なあんだ。市川さんと待ち合わせしてたんですか」

思わず口を開くと、「やっとしゃべったな、お前」と社長が笑った。そういえば、店に入ってから「わあ、元ちゃん」以外ひと言もしゃべっていなかった。

「いや、ちょっと相談があってね。鉄壁さんに電話したら、『今日はめでたい日でラーメン食いにいくから来い』って言われて」

市川さんが言った。それで、私も苦笑してしまった。

「めでたい日でラーメン」かあ。のんのさんの言う通り、どうせなら、やっぱりフレンチのフルコースのほうがよかったな。そしたら元ちゃんに会わずに済んだのに。

「で、相談ってなんだ？　ひょっとして、いっちゃんご依頼の旅か？　だったらお安くしとくぜ」

新しく出されたコップにビールを注ぎながら、社長が訊いた。いただきます、と泡だらけのビールを飲み干して、大きく息をつくと、あらためてこっちを向いて、市川さんがいきなり言った。

「丘ちゃん。……もう一回、やってみないか。『ちょびっ旅』」


夕方六時きっかりに、よろずやプロの電話が鳴り響いた。デスクの前に鎮座していたのんのさんが、コホン、と咳払いをしてから、

「はい、よろずやプロでございます」

思いっきりよそゆきの声を出した。「はい、はい。……すぐに参ります」と、電話に向かって頭を下げてから、カチャリと受話器を置いた。

「迎えの車、到着よ。いま、下で待機してるって」

隣のデスク前に姿勢正しく座っていた私は、ひとつうなずいてから席を立った。「社長ぉ～、お迎えの馬車到着よぉ」と叫びながら、ぱたぱたとスリッパを鳴らしてのんのさんは社長室へ入っていった。三秒も経たないうちに、ド派手なチェックのジャケットに黒ズボン、赤いネクタイの社長が現れた。

「あーあ、事務方って損な役回りだわあ。せっかくの美食フレンチにも同行できないなんて」

靴べらを社長に渡しながら、皮肉たっぷりに言う。

「まあ、そう言うなよ。次は連れてってやっから」と社長が、革靴に枕のような足を窮屈そうに突っこみながら返す。

「今日のところはお互い様子見だ。おれの攻撃はじわじわ効くのさ。最初は軽～くパンチを繰り出して、ここぞってときにガツン！　ってな。右ストレートでノックアウトよ」

「あんたって、ほんっと馬鹿ねえ」と、のんのさんが心底あきれてため息をついた。

「相手は『ちょびっ旅』復活の命運を握ってるスポンサーさま、でしょ？　倒してどうすんのよ」

「あ。そりゃそうだ」と社長は笑った。

事務所の真ん前に黒塗りの車が停まっていた。アイドル時代に何度か乗ったことのあるハイヤーだ。「スポンサー候補」の企業が気を利かせて、今日の会食のためにわざわざ差し向けてくれたのだ。運転手が降りてきて、後部座席のドアをうやうやしく開けた。さきに社長が、続いて私が乗りこむと、重たい音がしてドアが閉められ、車は滑るように走り出した。鈍行電車や路線バスに慣れた身には、どうも乗り心地がよすぎて調子が狂う。

どうだい丘ちゃん、鉄壁さん。「ちょびっ旅」復活に挑戦してみないか。

つい一週間まえ、「一点晴」のカウンターで、「ちょびっ旅」ファミリーのお父さん役を自称していた市川ディレクターが、私たちに告げたこと。にわかには信じがたいことだった。

かつて「ちょびっ旅」の唯一のスポンサーだった江戸ソースの会長が、丘えりかの最近の仕事に興味を持っている。かつて番組スポンサー担当だった大手広告代理店「番通」営業課長、徳田さんが、江戸ソースの社長室からそんな情報を仕入れてきた。

私の失言によってスポンサーの——正確に言えば江戸ソース広報室の——怒りを買い、番組打ち切りに追いこまれた経緯を誰よりもよく知っていた徳田さんは、最初は半信半疑だった。けれど、最近私が「旅屋」なる「怪しげながらも画期的な」業務に携わっていることを知り、「旅屋」ホームページの旅レポートとユーザーレビューなどもチェックしてみて、「これはひょっとしてひょっとするかも」と思ったとか。何が会長の興味を引いたのかわからないが、仕事になりそうな話はとりあえずつなぐというのが徳田さんのポリシーだ。とにかく、かつて「ちょびっ旅」担当だったあけぼのテレビの藤嶋プロデューサー、そして市川ディレクターに「江戸ソース脈あり」の一報を入れた。

「旅屋」立ち上げ後も、私を起用できそうな旅番組の提案のタイミングを注意深く見計らってくれていた市川さんは、キタッ！　とばかりに食らいついた。そして、いかにおかえりが心あたたまる旅を続けているか、旅がしたくてもできない依頼人に代わって全国を旅しているかなどを切々と語ってくれたらしい。普通なら「旅先で誰にもタレントとして認識されない時点でどうかと思う」とかなんとか言われて秒速却下されたところだろうが、一度は怒りを買った江戸ソースの会長の興味を引いた、というその一点で、藤嶋さんも乗り気になったという。

そして、市川さんの提案による「年末特番！〈ちょびっ旅スペシャル〉あのおかえりが帰ってきた……日本列島北から南へ・笑いと人情&愛と涙&勇気と感動、晴れときどきご当地グルメ～ローカル鉄道とバスが心をつなぐ～」という、長すぎるタイトルの企画が動きそうな気配だというのだ。

「いやあ、おれは正直驚いたね。いっちゃんからこの話を聞いた瞬間は、まさかそんなのありかよ、って……」

ハイヤーの後部座席、白いカバーがかぶせてある肘掛けに肘をついて、鉄壁社長がひそひそ声で言う。私はうなずいた。

「私も驚きました。いくらなんでもタイトル長すぎるって……」

「ばーか。そっちじゃねえ、江戸ソースの会長のことだよ」

市川さんいわく、江戸ソースの江田《えだ》会長は、創業者・江田吉三郎《きちさぶろう》の実子にして二代目社長。戦後、会社を急成長させ、東証一部上場を果たし、海外進出するなど、数々の業績に貢献した。独身を通してきたため、血縁の後継者はいなかったが、優秀な生え抜きの社員に社長職を任せ、自分は早々と会長に退いた。が、いまだに経営陣への影響力は絶大だとか。

つくづく感心したように、社長が語る。

「ソース作るにゃ野菜作りだ、って直営の農場を運営したり、飲食チェーン店も早くから展開して会社を大きくしてきたんだ。中国や東南アジアでもソースや調味料を現地生産して、『エド』っつったら知らねえもんはいないらしいぜ。しかも、歌や踊りが大好きでな。『劇団二季』のスポンサーもやってるし、青空《あおぞら》ひばりや北島一郎《きたじまいちろう》の活動も支えてきた、芸能界の陰の立役者なんだぞ」

ひとしきり会長の業績を褒めちぎってから、

「そんなお方が、なんでお前なんぞにご興味をお持ちになられたのか……」

世の中不思議なこともあるもんだ、と締めくくった。ほっといてくださいよ、と言いたくなった。

ハイヤーは、銀座の並木通りにある瀟洒《しょうしゃ》なレストランの前で停まった。なんでも、この三つ星レストランも江戸ソース直営の店だとか。目もくらむほどのまばゆいエントランスでは、スーツ姿のふたりの男性が、ほぼ直立不動で私たちを出迎えてくれた。

「萬社長、丘えりかさんですね。お待ちしておりました。わたくし、江戸ソース社長室長の本田《ほんだ》と申します」

「同じく、広報室長の山城《やましろ》です。本日はお忙しい中ご足労いただきまして、まことに恐縮です」

不気味なほど慇懃《いんぎん》に、ふたりは同時に名刺を差し出した。「あ。こりゃどうも、萬です」と社長は、チェックのジャケットの内ポケットから名刺入れを取り出すと、名刺を両手に一枚ずつ持って差し出し返した。ふたりとも、「元プロボクサー、いま社長」の肩書きを見て、瞬時に固まった。

「あの山城ってのが『ちょびっ旅』を打ち止めにした張本人だぜ。会長さまのために、ご苦労なこった」

廊下を歩きながら、社長がこっそり耳打ちしてきた。背筋をぴんと伸ばして足並み揃えて前を進む社員ふたりの姿を見れば、会長がどれほど社内で影響力を持っている人物なのか、一目瞭然だ。

黒い蝶ネクタイのスタッフが、いちばん奥まった個室のドアをノックし、静かに開けた。物干し竿《ざお》が貫通しているみたいに背筋を伸ばして、本田さんが部屋の中に向かって声をかけた。

「失礼いたします。……会長、おふた方がお着きになりました」

まず社長が一礼をし、それから私も一礼をして、静々と部屋の中へ入っていく。顔を上げて正面を見た瞬間、私は息をのんだ。

テーブルの中央にちんまりと座っていたのは、思いがけずに、品のいいおばあさんだったのだ。

白髪《しらが》をうっすらと紫色に染めて、上品なベージュの着物に身を包んでいる。テーブルの上に揃えられた手には、何カラットくらいあるのだろうか、イエローダイヤモンドがごろりとのっかったリングが光っている。くぼんだ目が、じっとこっちをにらんで――いや、みつめている。何もかも見透かすような、深いまなざしで。

「本日は、お招きありがとうございます。よろずやプロの萬です」

名物会長が女性であることを知っていたのだろうか、とくに驚いた様子もなく、社長

があいさつした。私は少しあわてて、

「あ、はじめまして……わたくし、丘えりかと申します。このたびは、お目にかかれまして、恐悦至極に存じます」

最大級のていねいさをもってあいさつしたら、なんとなく時代がかってしまった。

「江田悦子《えつこ》です。ようこそいらっしゃいました」

表情ひとつ変えずに、会長が言った。会長の真向かいの椅子が音もなく引かれて、私は自然と腰を下ろした。それから、クロスのかかった長いテーブルの周りに座っている人たちをようやく見た。

会長の右隣には、あけぼのテレビの藤嶋プロデューサー。番組打ち切りの宣告をしたときとはうって変わって、見たこともないような緊張の面持ちだ。左隣には、番通の徳田課長。相変わらずの能面フェイスが、いっそう作り物っぽく貼り付いている。藤嶋さんの隣には、市川ディレクター。今日のお招きを受ける条件として、鉄壁社長が「必ずいっちゃんを同席させろ」と藤嶋さんにねじこんだ。スポンサーとの会食に現場のディレクターが同席することはめったにないらしいが、今回は市川さんの企画ありきの話だから、と社長たっての希望だった。そして社長の隣に本田室長、私の隣に山城室長が無言で座った。

うわ……。なんなんだ、このものっすごい重圧感は。

ポン、と栓を抜く音がして、深緑色のボトルが差し出された。シャンパングラスを金色の液体が満たしていく。江田会長がグラスを手に取るタイミングを注意深く計らって、

「それでは、本日を記念いたしまして……」と、本田さんがどことなく中途半端な音頭を取った。

「乾杯！」

カチン、カチン、とグラスを合わす。私は、（こりゃあ、飲まなきゃやってられないや）とばかりに、ぐいっとシャンパンをあおった。

乾杯のあと、テーブルはしんと静まり返った。こういう席で、誰が最初に口火を切るべきなのか見当がつかない。いつもはガハハと笑い飛ばす社長ですら、ここで大物を逃がすまじ、と鹿撃ちのハンターのように全身を硬直させている。ひょっとして私がまずは何か言うべきなんだろうか、と最初のひと言を思いあぐねていると、

「あなた、デビューして何年目ですの？」

ごく普通の質問が、会長から飛んできた。私が、あわわ、と急いで計算するうちに、

「はい、かれこれ十五年目に入りました。デビューが十八歳で、今年三十三歳になりましたんで」

社長が代わりに答えてくれた。一瞬ほっとしたが、

「そちらに訊いておりません」

すかさず、社長に向かって会長がぴしりと言う。社長は、はあ、と珍しくしおれてしまった。

「ＣＤもお出しになったんですってね。歌はお好き？」

エグゼクティブらしく、私の経歴を事前にチェックしてくれているようだ。歌はお好き？　というシンプルな、けれど楽しげな質問に、たちまち親近感を覚えた。

「はい、大好きです。けれど、ＣＤは一枚出したきりで……鳴かず飛ばず、全然売れませんでした」

「そうですか。どうして売れなかったと思いますか？」

入社試験の面接って、こういう感じなのだろうか。けれど、お世辞や世間話を口にするのではなく、まっすぐに興味をぶつけてくる会長の態度に、私は、この年齢の人に特有の凜々しさを感じた。

「歌よりも、もっと好きなものがあったからだと思います」

テーブル越しに、会長のまなざしがじっと私に注がれている。私は、その視線をまっすぐに受け止めながら、それはなんですか？　と訊かれるまえに続けた。

「それは、旅です」

一瞬、テーブルの周りの空気が、はっとした。会長の瞳の奥に、光がふっと揺らめくのが見えた。会長の興味にじゅうぶん応えられるように、私は、いつもの私に戻って語り始めた。

旅が好きなんです、私。

いつの頃からかわからないけど……いいえ、きっと故郷での日々、北のさいはての島で暮らしている頃から、空を飛び交う海鳥のように、潮流に乗ってやってくるアザラシのように、どこか知らない遠くまで行ってみたい、「海のあっち」を見てみたい、と夢みていたんだと思います。

だから、タレントになって何より嬉しかったのは、知らない町へ行けること。電車に乗って、バスに乗って、どこまでも移動して、その町の誰かに会って、おしゃべりしたり、おいしいものを食べたりできること。そりゃあ、きれいな服を着て、歌ったり写真を撮られたりするのも楽しかったです。でも、そんなことより、思う存分旅することができるようになったのが、ほんとうに嬉しくて。

そんなふうだったからか、アイドルとしては長続きしませんでした。でも、「ちょびっ旅」のレギュラーを務めることができたのは、何よりの宝物になりました。そうです、御社にご協賛いただいた、あの旅番組です。あの番組に出演させていただいたこと、それが私の人生を変えました。

あの番組を通して、私は、すばらしいスタッフに恵まれました。プロデューサーの藤嶋さん、ディレクターの市川さん。番組を支えてくださった徳田さん。そのほかにも、若くて元気いっぱいのスタッフたち。まるで旅芸人の家族みたいに、私たち、日本中へ出かけていきました。どんなに胸躍る体験だったか、表現するには、私、あまりにも言葉足らずなのがくやしいです。

残念ながら、番組は、いったん終了しました。けれど、「ちょびっ旅」は、私にかけがえのないことを教えてくれました。

それは、とてもシンプルなこと。旅することのすばらしさです。

タレントであろうとなかろうと、仕事であろうとなかろうと、私、旅を続けたい。番組が終わって、そう思いました。旅することに、肩書きなんていらない。すっぴんのまま、ひとり、空の下、風の中、出かけていけばいいんだ、って。どこへ行っても、なつかしい風景が、やさしい人たちが、きっと受け止めてくれるはずだから。

そして、偶然の出会いと鉄壁社長の思いつきから、「旅屋」を始めることになったんです。

最初は、はらはら、こわごわ。旅代理人なんて、できるのかな？　って。だけどいつしか、思いっきり楽しんでいる自分をみつけました。楽しくない旅なんて、旅じゃない。そう気がついたんです。

旅を依頼する方々の事情はさまざまです。けれど、シリアスに思い悩む旅を希望する人はひとりだっていない。美しい風景を、とびきりの笑顔を、きらきらした思い出を。皆さん、ひとり残らず、そう望むんです。

　依頼人の方々に元気を差し上げたくて、私、旅をしてきました。

　だけど、結局元気をもらうのは、いつも私。旅をしている、私なんです。


　私が語り続けるあいだじゅう、料理に手もつけずに、会長は黙って聴き入ってくれた。だから、ほかの全員も料理に手をつけられないままだった。それにようやく、気がついた。

「あっ、すみません。いきなりナレーション状態になってしまって。旅のことになると、いっつもこうなんです。……お料理、冷めちゃいましたね」

　恐縮してそう言った。藤嶋さんと徳田さんが、ほっと肩の力を抜くのがわかった。

「あの番組」のことに言及するとき、おかしなことを言いはしないかと彼らが緊張を高めるのがじんじん伝わってきた。

「料理はいつでも食べられます」

　会長の静かな声が響いた。

「けれど、あなたから旅のお話を詳しく聞くのは、今回と、あともう一度きりです」

　再び、テーブルの空気が張り詰めた。鉄壁社長が、両手に取り上げたナイフとフォークをテーブルに戻して訊いた。

「失礼ですが……それは、どういうことでしょうか。旅の話を聞くのが、あともう一度、というのは？」

江田会長は、じっくりと鉄壁社長の顔をみつめた。それから、私に視線を移すと、何かを試すように、ゆっくりと言った。

「我が社が再びあなたの番組のスポンサーになる条件として……わたくしが、旅の依頼人になります」

えっ、と小さな声が漏れた。私だけじゃない。藤嶋さんも、徳田さんも、市川さんも、そして鉄壁社長も、思わず息を詰めるのがわかった。

じゅうぶんな緊張がテーブルを満たすのを見計らったように、江田会長は厳《おごそ》かに告げた。

「正式にご依頼申し上げます。『旅屋』の業務として、わたくしの代わりに旅に出てくださいますわね？——おかえりさん」

待ってました、その挑戦状受けて立ちます！　と、鉄壁社長がすぐにでも前のめりに答えるような気がして、一瞬ひやりとした。が、やはり大一番とわかってのことだろう、社長は落ち着いて、「まずは旅のご依頼内容をお聞かせください」と答えたのだった。

会長はしばらく鉄壁社長の顔を見据えていたが、私のほうへ視線を移すと、ごく穏やかな声で言った。

「行き先は、四国。……愛媛県、内子町《うちこちょう》です。ご存じかしら」

愛媛には「ちょびっ旅」のロケで行ったことがある。そのときは、松山・道後温泉がメインの旅先だった。内子は昔ながらの町並みが美しいとのことで、行くことも検討されたのだが、予算の都合でカットされた残念な記憶がある。そんなわけで、私はすぐに反応した。

「行ったことはありませんが、知っています。全国にさきがけて、古い町並みを保存することに積極的だった町ですよね。名所は、白壁、なまこ壁の続く町並み。重要文化財になっている商家や、昔ながらの劇場。それに棚田も美しいと聞きました。おみやげは、ええと……和ろうそくに和傘、それから和紙。名物は、いなり寿司に、たらいうどん、鯛めし」

行けずにくやしかったので、いつか行きたいとガイドブックを見たりネットで検索したりしておいたのが、こんなときに役に立った。「内子」とひと言聞いただけで、連想ゲームのように内子名物を披露してみせた効果は抜群だった。会長はみるみる顔を輝かせて、「まあ、お見事」と声を上げた。

「こいつは旅のこととなると、いつもこんな感じなんです」

社長が朗らかに言った。このときはまだ、いつもよりちょっとおとなしめなくらいで、好感が持てる社長さん、といった感じだった。私は続けて訊いてみた。

「いつか行ってみたい場所でした。……なぜ、内子を行き先に？」

なごやかな話題を耳にしながら、ようやく全員がナイフとフォークを動かし始めていた。会長も、オードブルのフォアグラのパテを小さく刻んで口へ運んでいたが、両手のカトラリーを皿の上に置くと、何気なく答えた。

「わたくしの遠縁の女性が、そこで暮らしているようなんですの。……あなたとよく似た素性の人」

はあ、といちおう相づちを打ったが、意味がわからなかった。私とよく似た素性？

会長は、膝の上に広げたナプキンを取り上げて口を押さえると、一瞬、鉄壁社長のほうに目をやった。それから、私を見て言った。

「元アイドル歌手、だったとかで」

皿と口とのあいだを活発に動いていた鉄壁社長の左手が、ぴたりと止まった。会長は、私を見据えたままで続けた。

「わたくし、直接会ったことはないんですけれど……なんでも若い頃に、修学旅行で東京へやってきたときに、街中で芸能事務所の人にスカウトされて、歌手デビューしたそうですの。そのあと、いろいろとあって、郷里の四国へ帰ったらしいんです。彼女がデビューしたのは、かれこれ三十五年ほどもまえのことのようですけれど」

「それは興味深いですね」と口をはさんだのは藤嶋プロデューサーだった。

「その方は、なんという芸名だったんでしょうか」

会長は、視線を私から鉄壁社長へと移して言った。

「天川真理《てんかわまり》、と言います。ご存じ？」

ごくり、と社長の喉が大きく鳴るのが聞こえた。隣を見ると、社長は、皿の上に視線を落として固まっている。

「ご存じ？」と会長が、今度は私に目を向けて、もう一度問いかけた。私は首を横に振って、正直に言った。

「三十五年もまえだと、さすがに私、まだ生まれていません。あ、でも、曲のタイトルを聞けばわかるかも。……藤嶋さんはご存じですか？」

藤嶋さんは、喉に何か詰まったような顔になっている。あれ？　と思って市川ディレクターを見ると、やっぱり同じような表情で固まっている。番通の徳田課長だけが、相変わらずの能面フェイスで、黙々とフォアグラのパテをたいらげている。

「デビュー曲は『ひとりぼっちのスキャット』。セカンド・シングルは『アイ・ラブ・ユーは真夜中に』。その次は『夕日に投げキッス』……」

広報室長の山城さんが、上着の内ポケットから手帳を取り出して見てから、矢継ぎ早にタイトルを挙げた。どれひとつ、聞いたこともないタイトルだ。ってことは、売れないアイドル……だったってことか。

「ご存じないようね」会長が、私の表情がこわばるのを見て言った。

「まあ、仕方ありませんわ。あなたが生まれるまえのことですし、三曲出して終わったようですから。わたくしも、当時は、青空ひばりや北島一郎の支援はしておりましたけど、アイドル歌手には興味もございませんでしたの。ですから、まさか遠縁の者が芸能界に籍を置こうなどとは、想像だにしませんでしたわ。もっとも、気づくまえに引退してしまったようですけれどね」

はあ、とまた私は、中途半端な相づちを打った。まだ話が見えてこない。悦子会長は、遠縁の女性、元アイドル・天川真理の消息を探ろうとしているのだろうか。

再び、場の空気が奇妙に緊迫した。その空気を和ませようとしてか、山城室長が話をつないだ。

「ご承知かと思いますが、弊社は二年後に、創業八十五周年を迎えます。これを機に社史の編纂《へんさん》をしているのですが、その際、創業家である江田家の歴史をつぶさに調べましたところ、偶然にも、かつてタレントだった人物が遠縁にいた、ということに行き当たりまして……」

江田家の血縁関係者はすでに全員他界し、存命しているのは悦子会長のみであるはずだった。

悦子会長は、昭和五年生まれ。江戸ソース創業者・江田吉三郎初代社長と妻・たえさんの長女として誕生した。その後、三人の妹が生まれたが、次女と三女は東京大空襲に巻きこまれ、亡くなってしまった。四女の美恵子《みえこ》さんは、三歳のとき、子供のいない遠縁の夫婦の養女となり、高知県へ移り住んだということだった。

悦子会長のお父さんの吉三郎さんは、香川県の貧しい農家の出身だったが、結婚後に上京、小さな食堂の料理人から身を起こし、江戸ソースを創業した。戦後、会社は急成長し、ただひとり残った実子である悦子会長が二代目社長となり、会社を継いだ。悦子会長は結婚せずに独身を貫き、六十歳になったのを機に生え抜きの幹部に社長職を譲り、自らは会長職に退く。その後、両親が他界して、悦子会長は天涯孤独の身となってしまった。

社史編纂を進める上で、あらためて江田家のできごとを振り返った際に、悦子会長は、四歳下の末の妹、美恵子さんのその後がふいに気になり始めた。

悦子会長が尋常小学校一年生のとき、幼い妹は、それまで会ったこともない親戚のおじさんに連れられて、おいしいおやつとおもちゃのいっぱいあるおじさんの家に遊びにいく、と言って、大喜びで家を出ていった。他の妹たちはみなうらやましがったが、ひとり、悦子会長だけが、なんともいえない不安で胸を塞《ふさ》がれたという。なぜか、このさき二度と妹に会えないような気がして、当時住んでいたあばら屋の粗末な木戸を開けて出ていく小さな後ろ姿に向かって、大声で叫んだ。

早く帰っておいでよね、美恵ちゃん！

妹は、ぱっと振り返って、嬉しそうな笑顔で、うん！　とひと言、元気よく答えた。自分の着物をほどいて母が作った、紺地に白い絣《かすり》のワンピース。よそゆきの洋服がよっぽど嬉しかったのだろう、短いスカートの裾を翻して、くるっと回ってみせた。それが永遠の別れになろうとは、お互い、知る由もなかった。

その後、戦争で二人の妹たちを亡くし、江戸ソースが大企業へと変貌したのちも、美恵子さんの一件を両親が口にすることはなかった。

ただ一度だけ、母が、それらしいことを悦子会長に囁いたことがある。臨終間際のことだった。すでに夫に先立たれ、長患いして入院していた母が、今夜が峠である、というときに、悦子とふたりきりにしてほしい、と医師に告げた。枕元の椅子に座った悦子会長に向かってやせ細った手を伸ばし、スカートの膝頭に触れてつぶやいた。

なあえっちゃん。あんたにはな、三人、妹がおったんよ。覚えよる？

そうして、そのまま、静かに息を引き取った。

悦子会長は、これが母の遺言と思い、告別式に「血縁上の」妹を呼び寄せようとすぐさま消息を探った。しかし、妹が養女となった遠縁の親戚の行方は、戦争をはさんで、おぼつかないものになっていた。とある筋までは判明したが、結局美恵子さんの消息にまでたどりつかず、それっきりになってしまっていた。

母が亡くなった年齢、八十歳を来年に控え、江田家の歴史を振り返る機会を得て、悦子会長は本気で美恵子さんの消息を探る決意をした。その道の専門家に依頼して、じっくりと調べたところ、意外な事実に行き当たった。

美恵子さんは高知市の郊外に住む養父母とともに、戦前はつましい暮らしを営んでいたようだ。しかし、戦争が一家の暮らしを激変させた。養父は戦争に召集され南方の島で戦死。養母は高知大空襲による火災で大けがをし、その後、疎開先の檮原村《ゆすはら》で、終戦を待たずに絶命した。十一歳だった美恵子さんは、檮原村の疎開先の農家で養われ、やがてその家の縁者のもとへと嫁いだという。その後、娘をひとり産んだのち、わずか二十五歳で病没した。なんとも壮絶で、悲しく、短すぎる一生だった。

そして、残された美恵子さんのひとり娘――。

「……その方が、天川真理……さん？」

恐る恐る、訊いてみた。悦子会長は、ゆっくりとうなずいた。

「本名は、真理子《まりこ》、というそうです。国沢《くにさわ》真理子、五十三歳。現在、内子で『やまも』という喫茶店を経営しているそうです」

……そこまでわかっているんだ。そして、わかっていながらも、自ら会いにいくのをためらっているんだ。

考えてみると、もっともなことだ。どこの誰ともわからないおばあちゃん——いや、東証一部上場の大企業・江戸ソースの会長が、幹部をぞろぞろ従えて、黒塗りの車で喫茶店に乗りつけて、「わたくし、あなたのお母さんの姉、つまりあなたの伯母《おば》ですのよ」なんて言って会いにいったら、面食らうだろう。そもそも、真理子さんが自分の母親の出自を知っているかどうかもわからないし。

同じ見知らぬ人物であっても、多少なりとも若い女があっけらかんと明るく会いにいったほうが、警戒されずに済むだろう。

つまり、旅の目的は——悦子会長と血縁のある、存命のただひとりの人物、真理子さんに会いにいく、っていうことなのか。

「では、内子へ行って真理子さんの様子をうかがってくる、というのが、この旅の目的、ということでよろしいのでしょうか」

「旅の目的」は、いつもであれば、依頼人との面接時の最後に鉄壁社長が確認している。けれど、今日はなぜだか、二品目のオードブルが出てくる頃に、社長はすっかりおとなしくなってしまっていた。悦子会長の姪御《めいご》さんがかつてアイドルだったことを知っているのか知らないのかも、なんとも言わないのでわからなかった。でも、三十五年ほどまえと言えば、社長はとっくに芸能界に身を置いていたはずだ。よろずやプロを立ち上げるまえ、確か、宿命のライバル・常盤千一とともに、大手プロダクション「米沢プロ」に勤めてた頃じゃなかったのかな。

「あら、『様子をうかがう』なんて、それじゃまるで探偵じゃありませんこと？　あなた、旅人なんでしょう」

会長が、そう言って笑った。確かに、紆余《うよ》曲折のあった江田家の歴史に聴き入るうちに、いつのまにか探偵気分になっていた。

「姪の真理子と会って……一緒に、妹のお墓参りへ行ってきていただきたいのです。どこにお墓があるかまでは突き止めていないのですが……そこまで旅していただいて、これを」

そこまで会長が言うと、本田社長室長が、足もとに置いていた書類鞄を取り上げて、中から藤色の袱紗《ふくさ》を取り出した。会長はその小さな包みを本田さんから受け取ると、私に向かって差し出して言った。

「これを、墓前に供えていただけますか」

私は、是非もなく、その包みを両手で受け取った。何も入っていないんじゃないかと思うほど軽い。

「これは……？」

私の問いに、会長は微笑んだ。

「妹の墓前に行くことができたら、そのときに開けてください。それまでは、決して開けてはなりません」

　いつかどこかで聞いたおとぎ話の一節のような、謎《なぞ》めいたフレーズ。また是非もなく、私はうなずいた。

「成果物は、いかがいたしましょうか」

　成果物の確認も、いつもなら社長の役どころだったが、やっぱり押し黙ったままだったので、私が続けて訊いた。会長は、もう一度微笑んだ。

「空になったその袱紗を、成果物といたしましょう」


　会長との会食は、実にスムーズに、和やかに、最後まで滞りなく運んだ。

「それでは、一週間後。成果物、楽しみにお待ちしておりますわよ」

　レストランのきらびやかなエントランスで、私と鉄壁社長を見送りながら、悦子会長が言った。

　きちんと背筋を伸ばして立つさまは、七十九歳の年齢を感じさせないすがすがしさと、こちらに四の五の言わせない強さがあった。私は、はい、と返事をしかけて、隣の鉄壁社長をちらりと見た。社長は固く口を結んだまま、額にじっとりと脂汗をにじませている。会長は、鉄壁社長が「お引き受けしました」のひと言を口にするのを待っているのか、穴が空くほど社長をみつめている。

どことなく冷ややかな視線を避けるように、社長は深々と一礼すると、通りで待機しているハイヤーへ足早に向かった。私もあわててそのあとを追う。

どうしたんだろう。社長の様子が変だ。

最初に二言三言しゃべったきりで、むっつりと黙りこくってしまったのだ。そのまま最後まで、「はあ」とか、「へえ」とか、お愛想の相づちばかりで、いつもの調子じゃない。旅の依頼人との面談の席では、「ちょっとはこの人黙らせて相手に話させなさいよ」と、のんのさんがお茶を運びながら私に耳打ちするくらい、しゃべりのスイッチが入ったらそのまんまで、いつまでも話し続けているのに。

「ちょびっ旅」再起のチャンスがかかった今回のミッション。あまりにも重圧すぎて胃が痛くなっちゃったんだろうか。

それとも、やっぱり、フレンチなんて社長の口には合わなかったのかな。

ハイヤーの後部座席に乗りこむと、「ちょっと待った」と、閉めかけたドアを押さえる人がいた。市川ディレクターだった。

市川さんは、表まで見送りに出ている悦子会長以外の人々——本田社長室長、山城広報室長、徳田課長、藤嶋プロデューサー——の目を気にしてか、すばやく車内に向かって囁きかけた。

「鉄壁さん、どうすんだ。このまんまじゃ、この話、引き受けたことになっちまうぞ」

えっ？　と反応したのは私のほうだった。だって、悦子会長直々の依頼なのだし、何より「ちょびっ旅」復活のチャンスがかかっている。これを受けずにどうすると言うんだろうか。

「何言ってるんですか市川さん。せっかくのお話だもん、当然引き受けますよ。ね、社長？」

そう言って社長のほうを向いた瞬間、はっとした。両膝に両肘をついて、四角いハゲ頭を抱えこんでいる。「考える人」のポーズを通り越して、「考えこむ人」になってしまっている。

「社長？　どうしたんですか、気分でも……」

おろおろして市川さんを見ると、無言で（あとで電話する）のジェスチャーをしている。私がうなずくと、市川さんはドアを閉めた。

走り出した車の中でも、社長はずっと無言だった。事務所に着くと、車から降りるなり、社長がようやく言葉を口にした。

「おれ、もう帰るわ」

そうして、すぐにタクシーを拾って、重苦しい表情のまま、行ってしまった。

いったい、どうしちゃったんだろう。

ため息をついて、事務所のビルに入っていこうとした瞬間、バッグの中で携帯が震えているのに気づいた。取り出して液晶画面を見ると、「市川ディレクター」とある。応えるよりさきに、市川さんの切羽詰まった声が耳に飛びこんできた。

『丘ちゃん、いまから長い電話になる。いいか？』

私は思わず、うなずいた。それが見えているかのように、市川さんはすぐに話し出した。

『「ちょびっ旅」を復活させるつもりで、自分から丘ちゃんと江田会長との面会を仕掛けておいて、こんなこと言うのは申し訳ないと思う。でもな、丘ちゃん。お願いだ。この話、なかったことにしてくれないか』

まったく予想もしなかった言葉に、驚いた。それって、どういうこと？

「この話、って……この『旅の依頼』ってことですか？」

まさかと思いつつ訊いてみると、『そうだ。江田会長の、旅の依頼だ』と市川さんが慎重な口ぶりで返してきた。悪い冗談でも聞いたように、私は苦笑いしてしまった。

「そんな……無理ですよ。だってもう、美恵子さんの墓前にお供えする袱紗までお預かりしちゃったんですよ。空にしないでお返しする、なんてことになったら……」

『わかってるよ。そのときは、おれがなんとか責任を取るから。頼むよ、丘ちゃん。もし、君が内子へ旅することになったら……』

「どうなるって言うんですか」

つい棘《とげ》のある声を出してしまった。頼もしい旅の一座のお父さん役である市川さんの嘆願めいた言葉を聞きたくなかった。

しばらくして、思いきったような市川さんの声がした。

『鉄壁さん、もうこの業界でやっていけなくなっちまうかもしれない』

# 9

車窓のガラスに、こつんと頭をぶつけたまま、タタン、トトンと電車のリズムに身を委ねている。いま、また、性懲りもなく、旅の途中の私。

旅に出るのに、こんな気持ち、初めてだ。

もやもや、心の雨雲が晴れないままで、結局、旅立ってしまった。

誰にも見送られず、手も振ってもらえず、笑顔で手を振り返すこともなく。羽田空港から松山空港へと、ひとり、旅立った。

なんてさびしい旅の始まりなんだろう。

松山空港から松山駅までバスで移動し、松山駅からこうして電車に揺られている。窓の向こうに流れるのどかな風景を眺めても、ちっとも心が浮き立たない。いつもなら、駅弁を広げたり、その地域に生まれた作家の文庫本に目を通したりして、これから旅する先に思いを馳せる。いちばん楽しく、心沸き立つ時間のはずなのに。

私がいまから行くところ——愛媛県喜多《きた》郡内子町。

一度行ってみたかった、素朴でさりげない、けれど小さな宝石のように美しい町。そして、鉄壁社長にとっては、決して私に旅してほしくなかった場所。

旅の依頼人悦子会長の、たったひとりの「血縁上」の姪に、これから会いにいく。その人は、私と同様、かつてアイドルだったという。そしていまは――。

いまは、どうしているんだろうか。

それを誰よりいちばん気にしているのは、私でも、悦子会長でもなく、鉄壁社長。そして、それをいちばん知りたくないのも、きっと鉄壁社長なのだ。

悦子会長の旅の依頼を、うっかりと――いや、当然のこととして、私は受けてしまった。「ちょびっ旅」復活がかかった旅の依頼を引き受けないなどという選択はありえなかった。

けれど、その直後に、市川さんからの電話で衝撃的な事実を知らされた。

君が内子へ旅することになったら……鉄壁さん、もうこの業界でやっていけなくなっちまうかもしれない。

市川さんの話に、私は自分の耳を疑った。

天川真理。いや、国沢真理子。鉄壁社長がスカウトし、芸能界デビューさせたアイドル。わずか二年で、あっさりと引退した。鉄壁社長の子供を、宿したから。

そして十年後——社長と真理子さん夫婦は離婚した。もう二度と私の前に現れないで、と言い捨てて、真理子さんは郷里へ帰ったのだ。

にわかには信じがたいことだった。けれど、市川さんは、悦子会長は鉄壁社長と姪御さんのかつての関係を知っていて、この話を持ちかけたに違いない、と言う。

『もう調べはついてるんだよ、きっと。それで、鉄壁さんをこてんぱんにやっつけるつもりで、あっちはこの旅の依頼を決心したんだ』

電話の向こうで、市川さんは、推理小説の結末が見えてしまったような、くやしそうな声で言った。

「ちょっと待ってください」私は急いで返した。

「社長と真理子さんが、かつて夫婦だったってことはわかりました。……自分がスカウトしたアイドル歌手とデキ婚しちゃった、ってことは、まさかの事実でしたけど。でも、もう何十年もまえのことでしょう。それをいまさら、どうして江田会長が鉄壁社長をやっつけなくちゃならないんですか」

『青いなあ、丘ちゃんは』と、携帯電話の向こうでため息が漏れた。

『江田悦子ってのは、この業界じゃ超有名なカタブツなんだ。国民的歌手の青空ひばりも北島一郎も、江田会長に絶大なサポートを受けたかわりに、一切ゴシップや浮き名を流さずにイメージを保つよう、厳しく事務所に管理されてたんだよ。結果的には、その成果があって国民的歌手になれたわけだけど、結婚さえもできなかった。あの会長さんは、そんな御仁なんだぜ。過去のこととはいえ、自分の血を分けたたったひとりの姪っ子がひどい目に遭わされたとわかりゃあ、何十年経ったって敵討ちしてやる、ってつもりにもなるだろ』

「いや、だから」と私は、少し声を荒らげた。

「なんで敵討ちなんですか。どんなひどい目に遭ったっていうんですか、真理子さんが？　子供ができちゃっても、ちゃんと結婚したんでしょう？　それが悪かったっていうんですか？」

『それは……』市川さんは、言葉を濁した。

『結婚してから、まあ、いろいろあったんだ。いろいろあって、彼女は郷里に帰ったんだよ。子供の遺骨を抱えてな』

硬く張っていた氷が割れたような、冷たい衝撃が胸の中に走った。

社長と真理子さんのあいだに生まれたひとり娘。どういう事情かわからないが、命を落としてしまったのだ。そのとき、わずか十歳だったという。

『いまから二十年以上もまえの話だ。あの頃、おれはぺーぺーのＡＤで、鉄壁さんには何かと目をかけてもらってた。鉄壁さんは、よろずやプロを立ち上げて、これから一流の役者や歌手をどんどん育てるんだ、って気炎を揚げてる頃だったな。娘さんを亡くしてすっかり落胆しちまった奥さんのほうから、離婚を持ちかけられたんだよ』

「そうだったんですか……」

私は、声が沈んでしまうのをどうにもできなかった。

「でも、だったらむしろ、社長のほうがひどい目に遭ったんじゃないですか。お子さんを亡くして、奥さんに離婚を言い渡されたんでしょう？　それなのに、なんで社長が会長に責められなくちゃならないの？」

電話の向こう側で、再び市川さんが口ごもった。どうやら、私には言えない事情を知っているようだった。それがまた、私をやるせない気分にさせた。

どうしようもなく複雑な事情が、この一件には絡んでいる。それだけが、市川さんとの電話を通してわかったことだった。

この旅の依頼を、私が受けてしまったら。――鉄壁社長は、悦子会長につぶされるかもしれない。市川さんの想像では、私が会いにいったときの真理子さんのリアクション――いまだに鉄壁社長を許さない、とか、いまでも死ぬほど嫌い、とか――次第では、悦子会長はよろずやプロを業界から追放する圧力をかけてくるかもしれない、と。

そんなことは、もちろん、あってはならない。ならば、この依頼、断るしかないだろう。

私がいままで知らなかっただけで、悦子会長のこの業界における影響力とカタブツキャラはかなり有名なものらしい。藤嶋プロデューサーや番通の徳田課長の気の遣い方を見ても、それはよくわかる。この業界で三十年近く生きている市川さんがあれほど恐れているのだから、ストイックさのあまり「敵討ち」的な行動に出るようなことも、ひょっとしたらあるのかもしれない。

けれど私には、どうしても、悦子会長が「こてんぱんに鉄壁社長をやっつける」ために旅の依頼を仕掛けた、とは思えなかった。

それこそ、明確な理由があるわけではない。けれど、悦子会長の凛《りん》とした佇まい、人としての風格、そして手渡された藤色の袱紗、その軽やかさ——などが、私に語りかけている気がした。

わたくしは、あなたに、ただ旅をしてきてほしいのです。なつかしく美しい旅、胸が熱くなる旅を——と。

妹の墓前に行くことができたら、そのときに開けてください。それまでは、決して開けてはなりません。

袱紗を受け取ったとき、会長が言ったあのひと言。おとぎ話の一節のようなあの言葉が、いつまでも心にこだましていた。

そして「旅する本能」が、私に告げる声が響いていた。さあ顔を上げて、一歩を踏み出せ。旅に出よ、と。

行くべきか、行かざるべきか。

旅の依頼を受けるとき、いつもならいちばんさきに相談する社長が、今回は最大の壁になってしまっている。名前そのものの、鉄壁に。

私は、「内子へ行った場合」と「行かなかった場合」の両方を天秤《てんびん》にかけ、慎重に「そのあとどうなるか」を検討した。

もしも行かなかったら、「ちょびっ旅」復活の話は露と消える。これは確実なことだ。確率、百パーセント。

もしも行ったら、社長がこの業界から露と消える。けれど、これは市川さんの想像に過ぎない。確率はゼロ、あるいは百。

だとしたら——。

市川さんとの電話のあと、もう事務所に戻る気にはなれなかった。地下鉄に乗って家へ帰り、ベッドに身を投げて、あれこれ考えを巡らせた。母に電話して、相談しようかとも思った。けれど、余計な心配をかけたくないので、やめておいた。

結局、明け方まで眠れなかった。窓の外が明るんできた頃にようやく眠りに落ちて、うっかり寝坊をしてしまった。そして、大幅に遅刻して、事務所に駆けこんだ。

社長に会ったら、ちゃんと訊いてみよう。悦子会長の旅の依頼を、受けるべきかどうか。

　そう決心して出社したのだが、いつもはスポーツ新聞全紙がいっぱいに広げられている社長室のデスクは、きれいに片付けられたままだった。

「社長、『立ち寄り』ですか？」

　そんなはずはない、と思いつつ、のんのさんに訊くと、

「今日は休み。お腹こわしたんですってよ。賞味期限過ぎたお弁当食べても平気なくせにねえ。食べつけないフレンチなんか食べたからでしょ」

　すました顔で「あんたもお腹こわして遅刻なんでしょ？」と言う。私は、いっそう心配になってきた。

　きのうの一件は、鉄壁社長にとって想像以上にダメージがあったのかもしれない。

「で、江戸ソースの会長さんとの会食はうまくいったの？『ちょびっ旅』はいつから復活なの？　当然、あけぼのテレビもやる気なのよね？　ギャラの話は、もうしたの？」

　自分のデスクの前に力なく座りこんだ私に、のんのさんが食らいついてきた。が、血の気が引いてしまって答える気になれない。のんのさんは、あきれ顔になった。

「なによお、その顔。まさか、この話なかったことになっちゃった、なんてことないでしょうね」

だから。


「そんなことは……」と言いかけて、市川さんの悲痛な声が、耳の奥によみがえった。

この話、なかったことにしてくれないか。

いや、なかったことにはできない。だってもう、成果物の内容まで確認しちゃったん
だから。

空になったその袱紗を、成果物といたしましょう。そう告げたときの、会長の微笑み。

あの微笑みを、信じるしかない。

「のんのさん。航空券の手配、お願いできますか」

見るともなしにパソコンの画面に視線を泳がせていた私は、隣のデスクで電卓を叩いているのんのさんに向かって、急に声をかけた。のんのさんはぴくっと口もとをつり上げて笑うと、「そうくると思った」と応えて、指先で電卓を勢いよく叩いた。

「さてさて、今回の旅のご依頼は？　北か南か、はたまた海外か。……って、誰の依頼よ？」

そうだった。きのうの段階では、悦子会長と「ちょびっ旅」復活についての会談をする、ということだったのだ。まさか、会長直々に旅の依頼をもらおうとは、のんのさんも想像しなかっただろう。

「実は、会食の最中に、江田会長直々に旅のご依頼をいただいたんです。その旅がうまくいったら『ちょびっ旅』のスポンサーになる、っていう条件で」

そう聞いて、のんのさんが思いっきり身を乗り出してきた。

「まじで？　すごいじゃない、それ。報酬も期待できそうよね。で、行き先は？」

「四国です。愛媛県、内子町」

「あらあ、すてき。いいとこらしいじゃない？　どんなご依頼なの？」

そういえば、のんのさんに相談する、という手もあった。セクシーアイドル時代も含めて、よろずやプロに勤続三十ン年なのだ。社長の結婚・離婚の顚末《てんまつ》も知っているだろう。私は、思いきって言ってみた。

「実は、江田会長の唯一の血縁関係者が――姪御さんなんですけど――内子に住んでいらっしゃって。その人に会いにいくんです。おもしろい経歴の人なんですよ」

「へええ、どんな？」

のんのさんはいつも以上にわくわくしている。このノリのままで、一気に話してしまおう。

「それが、もとアイドル歌手らしくって」

「あら」と、のんのさんは目を見開いた。「あんたみたいじゃない」

「そうなんですよ。天川真理、って芸名だったたんですって」

芸能人のゴシップでも聞くような興味全開の顔に、たちまち暗雲が立ちこめるのがわかった。やっぱり知ってるんだ、のんのさんも。

「最近のことなんですけど、江田家の歴史を探るうちに、養女に出された妹さんの娘さん、つまり姪御さんが存命している、ってことが判明したんですって。その人が、かつてアイドルだった天川真理さん。江田会長は、真理さんが芸能界にいるときには気づかなかったらしくって……」

「あ、そう」急に冷たい口調になって、のんのさんが返した。

「で、その依頼、受けたの？　社長、受けていいって言ったの？」

私は、首を横に振った。

「いいとも悪いとも言わずに、きのう、会食が終わってからさっさと帰っちゃって。それっきりです」

のんのさんは、ふうん、と気の抜けた相づちを打って、電卓に視線を落とすなり黙りこくってしまった。

あまりのテンションの落ちぶりに、私は焦ってしまった。これじゃ真相を訊こうにも何も話してくれそうにない。

「あの、それで、あさって発の松山行きの航空券を……」

いったん話を戻そうとしたが、のんのさんは、再び電卓を叩き始めてつぶやいた。

「自分でやれば」

え？　と私は訊き返した。

「だから、自分でやりゃいいでしょ、って言ったの。内子でも外子でも、どこでも行ってくりゃいいじゃない。社長の意向を無視して、あんたが行くって決めたんなら」

ばん、と電卓を平手で叩いて、のんのさんは立ち上がった。

「あんたはそんな子じゃないと思ってた。社長の気持ちよりも、依頼人の希望を優先するなんて」

はっとした。こんなに強い口調ののんのさんは、初めてだった。

近くの椅子に引っ掛けてあったショルダーバッグとジャケットを引っつかむと、のんのさんは、私に向かって言い放った。

「今日は、あたし、もう帰るわ。なんか気分悪くなった。明日も来ないかも」

「ちょっ……どうして？　おかしいですよ、社長も、のんのさんも。どうしてこの旅を、そんなに……」

あわてて追いすがる私を突き放すように、のんのさんの冷たい声が響いた。

「じゃあね、いい旅を。お好きなように、いってらっしゃい」

私の鼻先で、ばたん、と思いっきりドアを閉めて、行ってしまった。


そうして旅立った私。もうまもなく、内子駅に到着する。

いったい、どんな真実が待ち受けているんだろう。そもそも、真理子さんと、三日間のあいだに会うことはできるのだろうか。

真理子さんは驚くだろうか。血のつながりのある伯母が存在していること。そしてその人が、ひとかどの人物であることを知ったら。

そして、訪ねていった私が、「元アイドルの旅人」だと知ったら。

その私を見出したのが、真理子さんを見出した人物、かつての夫、萬鉄壁だと知ったら——。

喫茶「やまもも」は、なんの変哲もない町の商店街の一角にあった。

内子駅から徒歩七、八分のその通りは、古びた店舗が淡々と居並び、ところどころに白壁と黒い瓦屋根のコントラストが凛々しい蔵のような佇まいの家もある。いわゆる「伝統的建造物群保存地区」はもう少し先にあるようだが、素朴な風情の通りを歩けば、自然となつかしい気持ちになる。誰にともなく「帰ってきたよ」と告げたいような。

その喫茶店は、築何十年だろうか、古民家の一階にあった。小さなフレームがドアに下げてある。フレームの中には生成《きな》りの和紙が入っていて、毛筆で「やまもも」と書いてあった。大きな窓の外に立つと、私は、そうっと中をのぞきこんだ。

午後二時、ランチタイムが終わった中途半端な時間だからか、店内に人影はない。カウンターの内側で、うつむく中年女性の顔が見える。あれが真理子さん、なのだろうか。

ネットで「天川真理」の画像がいくつかみつかった。フリフリのパフスリーブ、ミニスカートからすらりと伸びた手足がまるで小枝のような、少し地味な印象の、けれど、それはきれいな女の子。歌はお世辞にもうまいとは言えなかった。昔のアイドルにありがちな、貼り付けたような不自然な笑顔が、なんだか痛々しい感じだった。よっぽど人気がなかったのか、動画の類《たぐい》はあまりみつけられず、デキ婚で引退したことなどもさしてニュースにはならなかったようだ。不発のうちに芸能界から姿を消したことは、結婚後の鉄壁社長と真理子さんには、むしろ幸いしたことだろう。

ふと、顔を上げた女性と目が合った。にこっと笑いかけてくれたのに勇気を得て、ドアを押して店内に入っていった。「いらっしゃい」とさわやかな声がした。私は窓の近くのテーブル席に座った。

さて、どうやって切り出そうか。

タレント・丘えりかであることは、自分から言わないほうがいいかもしれない。元アイドルってことで興味持たれちゃって、所属事務所なんか訊かれたら答えざるを得なくなる。

いや、もしかすると言わなくても気づかれるかも。元は芸能人だったんだし、そのへん、敏感なんじゃないかな。

ああ、うかつだった。変装とかしてくるべきだったかな。内子へ旅するって自分ひとりで決めて飛び出してきちゃったから、気が回らなかった。なんだか出だしからつまずいちゃってるよ私。

「ご注文、どうしますか？」

声をかけられて、はっとした。カウンターの中にいた女性が、水の入ったグラスをトレイに載せて立っている。私はテーブルの上にある和紙に手書きのメニューに視線を落とした。

「あ、あの。そうですね、えっと、これ。クリーム白玉あんみつ、と、生レモンスカッシュ」

「あら」女性がくすっと笑った。「なんだか、甘くてすっぱい組み合わせね」

「あ、そうですね、すっぱすぎるか。じゃあ、フルーツパフェとクリームソーダ、かな」

「はいはい。パフェとクリソ……って、甘すぎじゃない？」

楽しそうに笑いながら、女性は伝票にオーダーを書き留めた。そして、「お客さん、東京から？」と訊いた。

私はうつむいたままで、「ええ、まあ」とあいまいに答えた。

「疲れがたまってるのかもね、そんなに甘いものが食べたいんなら。でも、もう大丈夫よ。ここまで来たんだからね」

私は顔を上げて女性を見た。ほっそりとした体形、小顔でちょっとこけた頰。アイドル時代の面影をうっすらと宿したその人は、やはり天川真理——国沢真理子さん、だった。

真理子さんは微笑を浮かべて、私の顔をみつめている。顔を伏せると、「それ、どういう意味ですか」と訊いてみた。

「この町はね、忙しいとか大変だとか、もうようせんわ、とか、そういう気持ちをほぐしてくれるところなの。実際、私がそうだったしね。ずいぶん助けられたんだ、この町に」

真理子さんは、カウンターへ戻って、冷蔵庫を開けたりアイスクリームの箱を取り出したり、忙しく手を動かしながら、

「私はここの出身じゃないんだけどね。高知が生まれ故郷よ。高知っていっても、中心部じゃなくてね。もっと西の、田舎のほう」

うまい具合に、世間話の続きをするように自分の身の上を明かし始めた。

テーブルに身を乗り出して、私は訊き返した。

「へえ、そうなんだ。西ってどのへんですか」

「知らないと思うよ。檮原っていうの。なんにもない、山の中」

知らないわけがない。事前にうんと勉強してきたんだから。

「知ってますよ、檮原。『木偏』に難しい『寿《ことぶき》』、原っぱの原、って書くんですよね。森林に囲まれて、千枚田が広がる、緑がとっても豊かな場所ですね。四国カルストで有名だけど、私はやっぱり『維新の道』に興味があるな。坂本龍馬《さかもとりょうま》や幕末の志士たちが、日本を切り拓く一歩を踏み出した道があるなんて、なんだかすごい。その道が、いま、私たちが生きる日本につながっているんですもの」

タッパーのふたを開けたところで、真理子さんの手が止まった。「へぇえ、たいしたもんだ」と感心している。

「檮原の漢字まで正確に知ってるって、ただもんじゃないね。あなた、いま流行りのあれ？『歴女』ってやつ？」

「いや、そういうわけじゃ……」と否定しかけて、

「はい、バリッバリの歴女です。維新専門の」と全面肯定に転じた。歴史好きでもないのにやたら檮原周辺に詳しすぎるのって、よく考えたら怪しいじゃないか。ここは歴女ってことで通しておこう。

「へえ！」とまた、真理子さんは目を丸くした。

「『維新専』ねえ。じゃあ訊くけど、吉村虎太郎《よしむらとらたろう》と那須信吾《なすしんご》、どっちが好き？」

「へ？」と、今度は私のほうが目を丸くした。その質問は、「内子／檮原／真理子さん想定問答集」には入っていない。

「いやどっちかっていうと、私は、ええっと、か、勝海舟《かつかいしゅう》とか……」

苦し紛れに言いかけたとき、勢いよくドアが開いて、おばさんが五人、なだれこんできた。そして、あっというまに私はおばさんたちに取り囲まれてしまった。

「うっわ、がいや、がいやわ！　ほんまにおかえりちゃんなあし⁉」

「がいやがいや！　おかえりちゃんやわ！」

「どがいしたん、どしち内子にいらはるん？　『ちょびっ旅』で来はったん？」

がいやがいや、おかえりちゃんや、と口々に叫びながら、おばさんたちは私の手を取ってぶんぶん振ったり、肩を組んだり、携帯で写真を撮ったりしている。私はただ、されるがままだ。

「ちょっとみなさん、どがいしたんですか。お客さん、びっくりしとられますよ」

あまりの騒ぎに驚いた真理子さんが、割って入ってくれた。おばさんのひとりが興奮気味に言う。

「何ゆうとるん、真理子さん。この人ほら、おかえりちゃんやないの。いっつも旅してはる芸能人の」

「旅屋」を始めてから、ここまでジャストミートで面が割れたことは一度もなかった。握手とか写メとかまったく無縁だったのに、なんでこのタイミングなんだろう。いたずらがみつかった子供のように首を引っこめる私を見て、真理子さんは「え？」と声を上げた。

「芸能人？　この人が？……嘘だぁ、ぜんっぜん普通じゃない」

それはそれでぐさっとくる。が、こうなったら、正直に名乗るまでだ。私は立ち上がって、真理子さんに向かい合った。

「申し遅れてすみませんでした。私、丘えりかと申します。通称『おかえり』、職業は……『元アイドル、いま旅人』です」

ままよ、とばかりに、鉄壁社長の名刺の肩書き「元プロボクサー、いま社長」を意識して、思いきって言ってみた。真理子さんは、はあ、と気の抜けた声を出した。全然、ぴんときていない。

「『ちょびっ旅』という旅番組のレギュラーを、長らく務めていました。あちこち旅をして、地元のおいしいものや見どころを紹介する番組です。毎週土曜日朝九時半から九時五十五分まで。提供は……『ソースはやっぱり江戸ソース』」

私は真理子さんの顔を見据えて続けた。が、やっぱりまったくぴんときていない。ちょっと悲しいくらいだ。

「ああ、真理子ちゃんはなんも知らんてや。この人、テレビちっとも見よらんけん。テレビはうるそうて嫌い、映画は作りもんで嫌いや、ゆうて」

別のおばさんが口をはさんだ。真理子さんは、苦笑いになった。

「そうなの。うち、テレビもビデオも、もちろんパソコンもなくって。あ、携帯も持ってないのよ。時代遅れでしょう」

「だったら、知らんわなあ。おかえりちゃんのこと」

気の毒そうに、また別のおばさんが言った。

「で、あんた、どしちここにいてはるん？　撮影かなんか？　この店、テレビに出るん？」

「え、それはその……」私が口ごもると、

「歴史マニアなんですってよ。内子の歴史に興味があって、お忍びで来られたのよ。だから皆さん、おかえりさんがここにいること、秘密にしておいてあげてくださいな。ねっ」

わっ、ナイスフォロー。って、真理子さんにフォローしてもらってどうするんだ、私。

「そうなんです。以前、仕事で松山まで来たんですけど、時間がなくて内子まで回れなかったんです。それからずっと、旅してみたくて。のんびり町並みを見て歩いて、地元の方々とお話ししたり、おいしいものを食べたり。今回、二泊三日の予定で愛媛へ来たんですけど、ようやく夢がかなったって感じです」

嘘じゃなかった。「ちょびっ旅」で松山を訪問して以来、ほんとうにそう思っていたのだ。こんなかたちでかなったのは、ちょっと複雑な気分だったけど。

「へぇえ。仕事でも休みでも、おかえりちゃんは、いっつも旅してはるんやねえ」

ひとりのおばさんがさも感心したように言った。ほかのおばさんたちも、うんうん、そうなんやねえ、とうなずいた。

「あれかねえ、マグロみたいなもんかいや。いっつも移動しよって、止まったら最後、死んでしまうそうてや」

唐突なたとえが飛び出した。私と真理子さんは、顔を見合わせて、同時に噴き出した。あはは、と気持ちのいい笑い声を上げて、「そりゃあ、がいやわ」と真理子さんが言った。どうやら、「がい」というのは、「すごい」とか「すてき」とか、そういうニュアンスの方言のようだ。元気がよくて、弾けるような響き。内子の人々そのもののようなこの形容詞が、私はすっかり気に入った。

「じゃあ皆さん。ものはついでですから、このがいなマグロさんに、内子の魅力を教えてあげてくださいな」

もちろんてや、とおばさんたちは気勢を上げて、コーヒーやらあんみつやらを注文して、内子の即席レクチャー会となった。

愛媛県のほぼ中央に位置する、喜多郡内子町。江戸時代からハゼノキの流通で栄え、木蠟《もくろう》、和紙などが生産された。いま中心部に残っている町並みは、江戸時代から明治時代にかけて建てられた商人たちの家々。白い壁に黒い瓦屋根、無駄な装飾や看板のないすっきりとした美しさは、全国にさきがけて「町並み保存」を始めて、町民たちが一体となって守り抜いてきたものだ。

おばさんいわく、「ナウいムードの町並み」に作り替えてしまうことを、住民たちがよしとしなかったらしい。どこにでもある町並みに変えてしまうのではなく、ここにしかない町並みを保存する。その発想が、いまの内子を作ってきたのだ。

「三十何年もまえに、地方の小さな町にそういう発想があったっていうのは奇跡的なことよね。さびれていく町を救うには、できるだけ東京っぽく『ナウいムード』にするべきなんじゃないかっていうのが、当時の地方の人たちの考え方だったのに」

真理子さんが、つくづく言った。おばさんたちは、ちょっと自慢げに、いっせいにうなずく。

「それでなあ。町の努力が外国のお人にも認められて、ミシュランガイドに『一番星』で載ったんよ」

ひとりのおばさんが自慢げに言うと、別のおばさんが「『一番星』やのうて『一つ星』やろ」とすかさず突っこんだ。そこで全員、大笑い。

「すごいなあ。世界にも認められるなんて……がいですね」

私が言うと、「その通りや」と、おばさん全員、胸を張った。真理子さんも嬉しそうに微笑んだ。

「おかえりさん、これからの予定は？」

真理子さんに訊かれて、「特に何も決めてないんです」と答えた。

「皆さんのお話をうかがって、町の空気を呼吸したくなりました。ゆったり、ひたすら無目的に」

真理子さんは、にこっと笑った。

「私もご一緒していいかな。『一番星』獲得した町並みを、ご案内したくなっちゃった」

願ってもない申し出だった。「ほんとですか？」と思わず弾んだ声を出した。

お店の留守番をタイミングよくやってきたアルバイトの女性に頼み、おばさん軍団に見送られて、真理子さんと私は通りへと出た。

十一月の風がひんやりと、ほてった頬に気持ちいい。ご近所の昔ながらの和菓子屋さんや、名物「丸寿司」を売っている魚屋さん。そして、町の誇りの伝統的建造物群保存地区。「ほら見て見て、すてきでしょ」「がいでしょ」と嬉しそうに教えてくれる。真理子さんのほっそりした横顔をみつめていたら、なんだかこっちまで嬉しくなってしまった。

アイドル時代もきれいだった。だけど、いまのほうが、年齢を重ねていっそうきれいだと感じる。

すてきな人だ。すがすがしく開け放った窓みたいに。真理子さんを通して吹いてくる内子の風は、たまらなくさわやかだ。

狭い路地に居住まい正しく建ち並ぶ白壁の建物。そのあいだをさまようううちに、なつかしい思いがしんしんと胸を満たすのがわかった。古い町並みのせいばかりじゃない。いつしか、母——と旅しているような、そんな気持ちになったのだ。

私の母は、五十八歳。真理子さんより少し上だし、べたべたの田舎のおばちゃんだけど、なんでだろう、ほんのり、真理子さんは母に似ている気がした。

大口を開けて元気よく笑うところとか、夏の日、丘の彼方に沈む大きな夕日を指差して、「すごいべ？」とまるで自分が準備したかのように自慢するところとか。ごくさりげない表情や物言いが、記憶の片隅で眠っていた母をこっそりと呼び覚ます。ただ一緒に歩いているだけなのに、いつのまにか、私の胸はなつかしさでいっぱいになってしまった。

道ばたにテーブルを出して干し柿を売っている人がいた。「あ、干し柿、大好き。買ってきます」と私は、どうしようもないなつかしさから逃れるように、干し柿売りのおばさんのところへと走っていった。

「ひと袋、くださいい」

財布を取り出そうとして、ヴィトンのトートバッグの中からうっかり取り出したのは、藤色の袱紗だった。あっ、と小さく口の中でつぶやいた。

いた。

　そうだった。これが、私のミッション。

　これを、真理子さんのお母さんの墓前に供えなければならないのだ。

　真理子さんと過ごす時間があんまり楽しくて、ここへ来た目的をうっかり忘れかけていた。

　元アイドル、と私の身の上を聞いて、ひょっとすると、真理子さんは、昔の自分自身を思い出して、必要以上に気を遣ってくれているのかもしれない。「オフ」で旅をしている私が、存分に楽しんで帰れるようにと心を砕いてくれている気がした。

　もう大丈夫よ。ここまで来たんだからね。

　出会ってすぐに、真理子さんに言われた言葉をふと思い出す。

　この町はね、忙しいとか大変だとか、もうようせんわ、とか、そういう気持ちをほぐしてくれるところなの。

　実際、私がそうだったしね。ずいぶん助けられたんだ、この町に。

「どうしたの？　小銭、ないの？」

　背後で真理子さんの声がした。私はあわてて財布を取り出すと、お金を払い、「はい、おひとつ、どうぞ」と袋の中から干し柿を取り出して言った。

「ありがとう。じゃあ、私からも、これ。おひとつ、どうぞ」

　そう言って真理子さんが私に手渡したのは、手のひらサイズの和紙の一筆箋だった。

「わあ。ひょっとして、大洲《おおず》和紙、ですか？」

「うん。そこのお店で買ってきた。内子のおみやげには、和ろうそくなんかもいいんだけど、私としては、これを持って帰ってほしくって」

ちょっとてれくさそうなまなざしを私に向けると、小さく言った。

「私、これに助けられたから」

夕日がゆっくりと染めていく路地を並んで歩きながら、真理子さんは、思い出話をしてくれた。

若い頃、故郷の檮原を飛び出して、東京に移り住んだ。仕事をして、結婚して、家庭を持った。それからいろいろなことがあって、結局、ひとりぼっちで故郷に帰ってきた。もう、二十年以上もまえのこと。

孤独だった。さびしかった。やけくそになっていた。生きていても意味がない、とも。そんなとき、真理子さんを救ってくれた人がいた。

「檮原で、手漉《す》き和紙の工房を経営しているご夫婦がいてね。もし時間があるんだったら、私たちのこと手伝ってくれませんか、って」

オランダ人の和紙職人、ヤン・ヤンセンさんと、奥さんの千絵子《ちえこ》さん。若い頃に日本中を旅したヤンさんがみつけたのは、この国でもっともすばらしい、ふたつのもの。和紙、そして千絵子さんだった。高知と愛媛で和紙作りの修業をして、千絵子さんと結婚し、二十年まえに檮原で小さな古民家を買った。地元の素材を使ってこつこつと和紙を作り続け、体験工房を催して、たくさんの人々に和紙のすばらしさを伝授した。真理子さんは、ヤンさん夫妻を手伝ううちに、和紙作りに目覚めたという。

「本気で和紙作りに挑戦してみたい、って打ち明けたら、ヤンさんが若い頃に修業した内子の大洲和紙の工場を紹介してくれたの。それで、思いきってここへ来たんだ。もう一度故郷を離れるのにはいろいろと心残りもあったんだけど、『人生を変えてみなさい』って、ふたりに背中を押してもらって」

和紙作りに携わりながら、伝統文化を大切に守る内子の人々と交流して、性格がどんどん外向きになっていった。町の人々は、外からの移住者である真理子さんと、昔からの友人のように心を通わせてくれた。

真理子さんは、「やまもも」の経営者、ツネさんが経営するアパートに住んでいたが、一人暮らしのツネさんは母のように真理子さんに接し、何かと世話を焼いてくれた。真理子さんも、「幼い頃に亡くなった母を介護する気持ちで」、やがて動けなくなったツネさんを介護し、最期を看取った。ツネさんは、自分亡きあと、町民の憩いの場だった「やまもも」をどうか再開してほしい、と真理子さんに遺言した。

ツネさんの遺産は、「遠縁」を名乗る人々がどこからともなく集まって分与された。ただ、「やまもも」の経営権を引き継いだ親族が、ツネさんの遺志を尊重して、真理子さんに店の経営を託してくれた。真理子さんは雇われ店長として、一度は閉めていた「やまもも」を再開し、使われていなかった二階を一日一組限定の「民家宿」にした。そうして「やまもも」は、再び、町の人々や町の外から来る人々が集まる場所としてよみがえったのだ。

「そうだったんですか。じゃあ、和紙作りは、もう……」

私の質問に、真理子さんは、ほんの少しさびしそうに笑った。

「残念ながら、私には、ヤンさんほどの才能はなかったのね。だけど、私も和紙作りを通してみつけたものがある。それはね、時間が経過するほど、強く美しくなるものが、この世にはあるっていう真実。和紙、人との絆《きずな》……それに、思い出も」

真理子さんは、私をみつめて微笑んだ。それから、私たちの頭上に高々と燃え上がる夕暮れの空を見上げた。その瞳には、幾多の嵐をくぐり抜けてきた人のみが持つ、静かな輝きがあった。

時間が経過するほど、強く美しくなるもの。

和紙、人との絆、思い出。そこに私は、もうひとつ、真理子さん——を加えたかった。

運命に抗い、自分の内面と闘い、苦しみながら、真理子さんは、やがて時の流れを受け入れたのだろう。故郷が、この町が、和紙や人々との出会いが、そうさせてくれたに違いない。

時間が経過するほど、強く美しくなる――人との絆。

私は、茜《あかね》色に染まる真理子さんの横顔をみつめて、打ち明けなければ、と思った。

あなたとの絆を取り戻したい、と願っている人がふたり、います。

ひとりは、あなたの伯母さま、悦子会長。そして、もうひとりは――。

「ねえ、おかえりさん。もし宿がまだ決まってないんだったら、今日は、うちの二階に泊まっていけば？　ちょうど予約入ってないし、ひとりで広々使えるわよ」

突然、真理子さんが言った。私は、思わずうなずいてしまった。実際、宿は決めていなかった。どういう展開になるのか、まったく読めない旅だったから。

真理子さんに出会って、身の上話を打ち明けてもらってもなお、このさきの展開が読めない。

いったい、どうしたらいいんだろう。

ふたりでたどった道を戻りながら、真理子さんも私も、自然と口をつぐんでしまった。

「やまもも」が近づくにつれ、胸の鼓動が苦しいくらいに高まっていく。

自分の過去を、何もかもではないにせよ、初対面の私に語ってくれた真理子さん。タレントである私がひょっこり内子にやってきた理由は、訊かれなかった。かつて自分も身を置いていた芸能界でこの子も苦しんでいるのかもしれない、と慮《おもんぱか》ってくれているのがわかった。だからこそ、自分の過去を打ち明けてくれ、「ここまで来たんだから大丈夫よ」と励ましてくれたのだ。それが、いっそう私にはつらかった。

ひょっとすると、このまま、「オフ」でふらりと遊びにきたタレントを装って、何も打ち明けずに帰ったほうがいいのかもしれない。

いまは、心おだやかに暮らしているのだ。いまさら、伯母さまからメッセージを預かってきた、と言ったところで、真理子さんの気持ちをかき乱すだけだろう。

ましてや、私がよろずやプロ所属のタレントだと知ったら……。

どうにも決心がつかないまま、「やまもも」の前まで帰りついた。ドアを開けかけて、ふと、真理子さんが振り返った。私をまっすぐにみつめると、静かな声で言った。

「今日は、泊まってもらって構わないんだけど、ひとつだけ確認させて。……あの人の差し金で、ここへ来たんじゃないわよね？」

私は、息を止めて真理子さんをみつめ返した。まっすぐなまなざしが、嘘は言わないで、と迫っている。

「確かに、この町へ来て、私は変わった。だけど、昔もいまも、あの人を憎む気持ちは変わらない」

私、一生許さないつもりよ——萬鉄壁を。

# 10

「やまもも」二階の部屋、南に面した客間の中央にあるこたつに足を突っこんで、私はひとり、うずくまっている。

カッチ、コッチと時計の振り子の音が響いている。見上げると、黒い大きな柱に、いつの時代のものだろう、柱時計が掛かっている。ちょうど長針が「12」に合わさって、ボーン、ボーン、と鐘の音が七回、のんびりと鳴った。

よかったら泊まっていきなさいよ、と真理子さんが勧めてくれた。ただし、あなたがここに来た理由が、あの人の差し金でないかどうか、それだけを確認させて——と言われてしまった。

真理子さんが「あの人」と呼んだのは、別れた夫、鉄壁社長のことだった。

私は、あっけにとられてしまった。だって、真理子さんに会ってから、ただの一度も社長の名前を出していないのに。あっさりと見破られて、そしてあっさりと萬鉄壁を拒否されて、私は「……どうして？」とつぶやくほかなかった。

「詳しいことはあとで話すわ。とにかく、質問に答えて。あなた、あの人の事務所の所属なんでしょう？　あの人の差し金でここへ来たのか、そうじゃないのか。それだけ教えて」

「やまもも」の入り口の前で、私たちふたりは、向かい合ったまま立ち尽くしていた。

おじさんがひとり、やってきて、「あれ？　真理ちゃん、どがいしたの」と尋ねた。真理子さんは、作り笑いをして、「ああ、芳我《はが》さん、いらっしゃい。どうぞ」とドアを開けた。おじさんは妙な顔をして、中へ入っていった。

「答えられないってことは、やっぱりそうなのね」

ドアを閉めると、真理子さんは苦々しそうにつぶやいた。それから、「何をいまさら……」と、眉根を寄せた。私は、トートバッグの中から藤色の袱紗を取り出した。

「違います。社長は……鉄壁社長は、私がここへ来たこととは、なんの関係もありません。むしろ、行ってほしくなかったんだと思います。鉄壁社長の意思とは関係なく、私、ある方のご依頼でここまで来たんです。これを……」

そこまで言って、袱紗をそっと差し出した。

「これを、真理子さんのお母さんのお墓に、お供えするために」

真理子さんは、袱紗に視線を落とした。まなざしが落ち着きなくさまよっている。すべてを一気に話してしまおう、と私は覚悟を決めたが、「わかったわ」と小さな声が聞こえた。

「長い話になりそうだから、とにかく、今日は二階に泊まって。夜、話しましょう」

そんなわけで、「やまもも」の二階へ通されて、こたつに足を突っこんで、いま、こうして、真理子さんがやってくるのを待っている。

喫茶店の二階は、びっくりするほど快適な空間になっていた。こたつ板の上に置いてあった和紙に手書きの説明によると、いまから三百年ほどまえに建てられた民家なのだという。いまは亡きツネさんの一家が代々住んできたのだが、ツネさんの代からは喫茶店を営み、二階は物置きになっていた。立派な柱や広々とした空間をもったいなく思った真理子さんが、一日一組限定、朝食付きの民宿として一般開放することを思いついた、ということだった。

それにしても、広い。客間、次の間、寝室、着替えの間。すべて和室だが、手入れが行き届き、雰囲気を乱さない和風のインテリアで統一されている。さりげなく和紙や和ろうそくなども飾ってあって、そこここに真理子さんのアイデアとセンスのよさ、そして内子を愛する思いがあふれている。旅人は、この部屋にたどりつき、ひと息ついて、ああ、来てよかったなあ、と感慨深くなるに違いない。実際、私がそうなのだから。

いや、来てよかったと思うのはまだ早い。ミッションを遂行できてないじゃないか。

とにかく、もう何も隠すことなんかない。洗いざらい、打ち明けよう。そう決心して、い。


　いっそ気分が落ち着いた。

　それにしても気になるのは、やはり真理子さんの鉄壁社長への感情だ。

　この町へ来て、私は変わった。だけど、昔もいまも、あの人を憎む気持ちは変わらない。

はっきりと、そう言っていた。まるで、宣戦布告のように。

　娘さんが亡くなってからふたりは離婚した、と市川ディレクターから聞かされた。ふたりのあいだに何が起こったのかわからないが、娘さんの死が、真理子さんの気持ちを鉄壁社長から遠ざけてしまったと思われてならない。

　ひとり娘を失ったのだ、その悲しみは想像を絶するものだっただろう。けれど、社長の性格を考えれば、最愛の人が悲しみのどん底にいるなら、なんとかしてその支えになろうとしたはずだ。そんな社長の努力も通用しないほど、真理子さんの悲しみは深かったのだろうか。

　一階の店を午後七時に閉めて、真理子さんはそのあと二階に立ち寄ってくれる、ということだった。もう一度時計を見ると、七時十五分だった。もうすぐかな、と思ったとたんに、お腹が鳴った。考えてみると、飛行機の中でサンドイッチとコーヒーの朝食を食べてから、今日、口にしたのは、フルーツパフェとクリームソーダ、道ばたで買い食いした干し柿一個だけだった。

内子に来たからには、なんか名物食べたいなあ。鯛めしとかいなりずしとか、などと、漫然と思い巡らせていると、階段を上る足音が近づいてきた。ふすまの向こうで「おかえりさん」と呼びかける声がする。

「ちょっとふすま開けてくれる?」

立ち上がっていってふすまを開けると、大きなお盆にどんぶりをふたつ載せて、真理子さんが立っていた。

「お待たせ。内子名物、『鯛めし』よ」

わっ、と思わず歓声を上げてしまった。

「なんでわかったんですか? 私いま、『内子に来たからには鯛めし食べたいな』って考えてたんですよ」

「またまた、調子がいいんだね」と、真理子さんが笑う。

こたつの上に鯛めしとお茶、今日買った干し柿を載せて、いただきます、と手を合わせる。おいしい、おいしいと、あんまり私が連発するからか、真理子さんはちょっとあきれていた。「ちゃんとかんで食べてる?」などと、小学生並みの注意までされてしまった。そういうところもまた、母を思い出させるのだった。

故郷の礼文島では、絶品の「ウニ丼」が有名だ。けれど、ウニは礼文の人々にとっては、貴重な観光資源であり、商品だ。地元民がウニ丼を食べることなどめったにない。

我が家の場合も、毎日の食卓の主菜は魚の干物などだった。けれど、一年に二回、ともに夏生まれの私と弟の恵太の誕生日のときにだけ、お腹いっぱいにウニ丼を食べさせてくれるのだった。恵太と私は、競うようにして、おいしい、おいしいとウニ丼を食べた。おばあちゃんと父と母は、いつも通りの魚の干物をつつきながら、ちょっとあきれて、それでも笑顔で、私たちきょうだいを眺めていた。よくかんで食べるんだよ、と、小学生の私たちに向かって、母は何度も注意したっけ。

「不思議だなあ」お箸を置いて、私は思わずつぶやいた。

「なんだか、真理子さんといると、郷里の母を思い出すんです。私の郷里は北海道の礼文島……本当のさいはてで、母は、真理子さんとはくらべようもない田舎のおばちゃんなんですが……なんていうか、なつかしい気持ちになるんです」

そう言って、「内子の雰囲気のせいかな」とてれ笑いをした。真理子さんは、微笑んだ。

「悪くないわね、あなたのようなべっぴんさんのお母さんなら」

私は、顔の前で手を振って、「いやいや、べっぴんさんはそちらさんです」と返した。

「同じ元アイドルとはいえ、素材が違いますから。私はどっちかっていうと……」

「あなたも鳴かず飛ばず、だったんでしょ？　じゃあ一緒じゃない。もう調べはついてると思うけど、私はあなた以上に鳴かず飛ばずのアイドルだったのよ。まあ、マネージャーが最っ低の野郎だったから、しょうがないけど」

いきなりパンチが飛び出した。これは、おだやかじゃないぞ。

パンチの嵐を浴びるまえに、本題に移行したほうがよさそうだ。私はできるだけ落ち着いて切り出した。

「あの……私がよろずやプロの所属だって、どうしてご存じだったんですか。私がタレントだってことには、最初は気づいていらっしゃいませんでしたよね」

「ええ」真理子さんは、観念したように、ため息とともに返事をした。

「ただし、『ちょびっ旅』っていう番組名と、『おかえり』っていうタレント名と、その所属先は知ってたの。三、四年まえだったかな……町の観光課の担当者から、『ちょびっ旅』っていうテレビ番組が内子に取材に来るから、和紙工場とか保存地区とか、案内役をやってくれないか、って打診されたのよ」

担当者は、番組の概要が書かれた企画書のようなものを真理子さんに見せた。そこに私の名前と所属先が書いてあったという。真理子さんは、即刻断った。案内役としてテレビに出るのもいやだったし、よろずやプロ所属のタレントを案内するのもいやだった。

結局、予算の都合上、内子ロケはカットされ、取材は行われなかったのだが。

「だから、おばさんたちがあなたをみつけて店になだれこんできて、『おかえり』だの『ちょびっ旅』だの騒いでた時点で、もう気がついたわけ。ははあ、ひょっとして、この子、あの人に差し向けられてここへ来たのか？　って」

私は反射的にしゅんとしてしまった。

「それじゃまるで刺客じゃないですか」ぼそっと言うと、

「でもま、一緒に歩いてみて、刺客じゃないってことはわかった」と笑う。

「あの人が何企んでるのかはわからないけど、少なくとも、あなたが旅人として心底この町を楽しんでくれてるな、って思ったの。だからとにかく今日はここへ泊まってもらって、話をしようじゃない？　そう覚悟を決めたわけ」

さばさばと言う。その潔さは、どこか悦子会長を思い出させるものがあった。こちらも包み隠さずにさっぱりと応えたい、という気持ちになった。

「じゃあ、もう一度言わせていただきます。私がここへ来たのは、決して鉄壁社長に差し向けられて、というわけではありません。社長とはまったく無関係の、ある方のご依頼でやってきました」

真理子さんは私を見据えている。その表情には不安のもやではなく、好奇心が湧き上がっているのが見て取れる。

「半年以上もまえなんですが、唯一のレギュラー番組だった『ちょびっ旅』が打ち切られてしまって……途方にくれていたんです。もうタレントとしてやっていけない、ということよりも、もう旅ができない、っていうことに。だって私、何より旅が大好きだから」

そこで思いついたのが、「旅屋」。旅をしたくてもできない人、あえて「おかえり」に旅をしてもらいたい人のために、依頼の土地へと出かける旅代理人。いろいろな場所へ旅をして、さまざまな成果物を届けたことを、おおざっぱに編集して話した。真理子さんは、目を輝かせて聴き入っていた。

「旅屋かあ。おもしろいことを考えたのね。そんなこと思いつく人、なかなかいないよね」

感心してみせてから、

「で、それってあの人の『生き残りのための苦肉の策』だったわけ？」

意地悪く言われたが、

「まあ、半分はそうです。でも半分は違います」と正直に答えた。

「お金も仕事もないけど、旅がしたい！　っていう私の本音が生み出した、っていうか。それから、旅することで人助けになることもある、誰かを幸せにできる、っていうのが何より嬉しいんです。もちろん、私自身も」

旅することで、依頼人ばかりでなく、私自身が助けられ、幸せになることができた。それが「旅屋」をやってみて、もっともすばらしいことだった。

「そう」と真理子さんは、にっこりと笑った。

「それで、今回は、誰を幸せにするために内子へやってきたの？」

「やまもも」の入り口で、藤色の袱紗を見せた瞬間から、真理子さんがいちばん訊きたかったのはそのことだろう。けれど、順を追って私の説明を聞き、心構えをしてくれたのだ。

この人は、大きい。そう思いながら、私は、あらためてトートバッグの中から袱紗を取り出し、こたつ板の上に置いた。

「この袱紗を私に託した方……その方のお名前は、江田悦子さんといいます。江戸ソースの創業者の娘さんで、御年七十九歳。現在、同社の会長を務められています」

あら、という表情になって、真理子さんが言った。

「『ソースはやっぱり江戸ソース』。あなたが言ってた『ちょびっ旅』のスポンサーね」

私はひとつうなずいてから、告げた。

「悦子会長は、真理子さんの血縁上の伯母さま、なんです」

こたつ板の上に頬杖をついていた真理子さんの顔が、一瞬で固まった。どう返したらいいのかわからないのだろう、息を止めて私をみつめている。

「実は今回、いったんは番組のスポンサーを降りた江戸ソースから、もう一度スポンサーをしてもいい、という申し出があったんです。それはつまり、打ち切りになった番組が復活するかもしれない、ということで、私たち、とても喜びました。それで、悦子会長にお目にかかるチャンスがあったんですが、そのとき、番組のスポンサーに戻ってもいいけれど、ひとつだけ条件があると言われたんです」

もう何も隠すつもりはなかった。私は、悦子会長との面談の一件を、洗いざらい話した。

すべて聞き終わってから、真理子さんは、深いため息をついた。そして、静かに目を伏せた。

いま、予期せぬ嵐が彼女の中で巻き起こっている。それが通り過ぎるのを待っているかのように、私には思われた。

「それで、その袱紗を——私の母の墓前に供えてほしい、って、悦子会長が言ってるのね」

こたつの上に載せられた袱紗に視線を落として、真理子さんがつぶやいた。私はうなずいて、言い添えた。

「ただし、墓前に供えるまで、決してこの袱紗を開けてはいけない。そう言われました」

真理子さんは、こたつ板の上で組んだ両手の指を、ほんの少し動かした。開けてみたい、と騒ぐ指を黙らせるように、両手をこたつぶとんの中に引っこめて、「なるほど、うまい誘導ね」と私に向かって言った。

「この袱紗の中に入っているものを確かめるためには、あなたを母の墓前まで連れていかざるをえない。さすが、やり手の会長さんだな」

確かにそうだった。ひょっとすると、悦子会長は、こうして真理子さんを誘導するために、袱紗を墓前で開けてほしいと託したのかもしれない。いずれにしろ、まるで小説かドラマのような突然の親族の出現に、真理子さんが心を揺らしているのは間違いなかった。

私はこたつから身を乗り出して、真理子さんにやんわりと迫った。

「真理子さん。この袱紗をお供えするために、お母さんのお墓参りをご一緒させていただけませんか。きっと、真理子さんのお母さんも喜ばれると思います。ずっと昔に別れたお姉さん、そして実のお母さんが、忘れずにいてくれた、って」

袱紗に視線を落としたまま、真理子さんはぴくりとも動かない。まるで呼吸をすっかりやめてしまったかのように、しんと黙りこんでいる。私は辛抱強く真理子さんの返事を待った。行きましょう、のひと言を。

カッチ、コッチと柱時計の振り子の音が響いている。どのくらい時間が経っただろうか。ようやく、真理子さんが口を開いた。

「……ひどい話ね」

そのひと言に、ぎくりとした。

なんて苦しそうな声。泣き出す寸前のような。

真理子さんは、ゆっくりと視線を上げると、私を見据えた。憎悪の炎が、瞳の中で燃えていた。

「幼い母を養女に出して、死ぬ間際に思い出したからって、それがなんだっていうの。養女に出された母が、いったいどれほど苦労したかわかってるの。母を亡くした私が……娘を亡くした私が、いったい、どんな思いで生きてきたか。会長さんに……あなたにわかるわけないじゃない！」

真理子さんは、平手でこたつ板を思いきり叩いた。私は、思わず肩を縮めた。

「金持ちのひまつぶしになんか付き合ってられないわ。あなたが番組の復活のために、ここへ旅したっていうのも許せない。何より、あの人の息がかかったあなたを、お墓に連れていくわけにはいかない。あのお墓に入っているのは、私の母だけじゃないもの。美歌《みか》も……私の娘も入っているんだから」

真理子さんは立ち上がった。そして、氷のように冷たい表情で言った。

「明日、朝食は用意するけど、それ食べたら帰ってくれる？　チェックアウトは十時ですから。じゃあ」

階段を駆け下りる足音が遠ざかる。ひとり取り残された部屋に、カッチ、コッチと柱時計の振り子の音だけがむなしく響いていた。

恵理子、早く。起きんかね、もう八時だべ。はよう起きてご飯食べねえと、また遅刻すっぺよ。

あんたの好物、玉子焼き作ったから。あったかいうちに食べなさい。父さんは、もう漁に行ったよ。ばあちゃんも、恵太も待ってるべ。

さ、早く起きれ。い〜いかげん、起きれよ。恵理子。


ふんわり、菜の花色の玉子焼き。あたたかいお味噌汁の香り。ふとんの中でもぞもぞしながら、なつかしい夢をみた。

いつも朝寝坊の私をなんとか起こそうと、食事の支度がすっかりととのってから、母が枕元へやってくる。そのときの、ちょっとあきれた、でもどこか楽しげな声。もうずいぶん昔のことなのに、いまにも掛け布団をめくられて、起きれ、起きれと言われそうだ。

そんな幸せな夢を見たのは、階下から漂ってくるおいしそうな匂いを、私の鼻がキャッチしたからだろう。うっすら目を開けて、旅するときにいつも持ち歩いている携帯目覚まし時計を見る。八時少しまえだった。

ああ、そうだった。私、いま、内子に……「やまもも」の二階の部屋にいるんだ。すっかり礼文の実家で寝てるつもりになってたけど。

階下では朝食の支度がすっかり出来上がって、私が下りてくるのを待つばかりなのだろう。ただし、真理子さんがその席にいるかどうか、定かではない。

身支度を整えてから、階下に下りていく。三百年もの歴史がある古民家。通りに面した場所は喫茶店「やまもも」になっている。奥にはお座敷があり、中庭を眺めながら歩く廊下があって、いちばん奥に使われていない台所、お風呂などがあった。すみずみまでよく手入れが行き届き、この場所を預かっている真理子さんが、どれほど大切に、愛情をこめて維持しているかがよくわかった。

まるで内子の住人になったような気分になるこの宿を、私はすっかり気に入ってしまった。けれど、朝食を済ませたら帰らなければならない。真理子さんを傷つけてしまったのだから。

お座敷の真ん中には大きな座卓が据えてあった。その上に、できたての玉子焼き、焼き魚、小松菜の煮付け、焼き海苔と、あつあつのお味噌汁、ご飯のおひつが載っている。真理子さんの姿はなかった。

いただきます、と手を合わせ、ひとつひとつのお総菜を味わった。やはり、どこかふるさとの母の味を思い出させる。素朴で、心のこもった食事。

この食事を、ずっと昔、鉄壁社長が、そしてふたりの一粒種、美歌ちゃんが食べていたこともあったんだなと、ふと思う。

真理子さんのお母さんのお墓には、わずか十歳で亡くなった美歌ちゃんも入っている、と真理子さんは言っていた。だから、あの人の息がかかったあなたを、お墓に連れていくわけにはいかないと。鋭い言葉の刃に、ぐっさりと突き刺されたような気がした。

何があったのかわからない。けれど、それほどまでに真理子さんは鉄壁社長を憎んでいるんだ。お人好しで、お調子者で、めちゃくちゃおもしろくて、人情深い鉄壁社長。人に利用されることはあっても、憎まれることなんて絶対なさそうな、あの社長を。

食事を終えてから、もう何度目になるだろう、私は携帯電話のフラップを開けた。やっぱり、社長からの電話もメールも入っていない。いつもは旅のあいだじゅう、電話やらメールやら、うるさいくらいに私の携帯を鳴らすくせに。

と、突然手の中で携帯が震え始めた。社長だっ、と思って液晶画面を見ると、「市川ディレクター」と出ている。「はいっ、丘です」と大急ぎで応答した。

『丘ちゃん、いまどこにいるんだ。まさか、内子じゃないだろ？』

市川さんの声は、切羽詰まっていた。私は床の間に向かって思わず頭を下げて、

「すみません。そのまさかです」と答えた。

『あっちゃあ……』市川さんが悲愴な声を出した。

『やっぱり行っちまったのか。……事務所、大変なことになってるぞ』

えっ、と私は声を上げた。

「どうしたんですか。いったい何が……」

『鉄壁さんが、あれっきり……江田会長との会食以来、行方不明なんだよ。きのうの夜、ぼのテレ・番通と、「ちょびっ旅」の特番の件で打ち合わせする予定だったんだけど、見事にすっぽかされて……のんのさんも必死で捜してるらしいんだけど、どこ行っちまったんだか、さっぱりわからないんだ』

私は凍りついた。

社長が失踪？　そんな馬鹿な。

「警察とかに届けましたか？」あわてて訊くと、

『さすがにまだ、そこまでは……』沈んだ声で市川さんが答えた。

『芸能事務所社長が失踪、なんてことが表沙汰になったら、おもしろがられるのがオチだろ。しかもいま、江戸ソースやぼのテレと微妙な時期だから、騒ぎになったらまずいよ』

市川さんはゆうべから私の携帯にもずっと連絡をし続けていたのだが、いっこうにつながらなかったという。そういえば、二階では携帯が「圏外」になっていた。困り果てた市川さんはのんのさんに私の居場所を尋ねたが、「もうあの子はうちのタレントじゃない」と言って、ものの五秒で電話を切られてしまったという。あっちゃあ、とこっちも頭を抱えこみたくなった。

『どうするよ、丘ちゃん。鉄壁さんは失踪、のんのさんはおかんむり。特番の企画は、会議をすっぽかされておじゃん。そこから帰ってきたって、もうよろずやプロの敷居をまたげないぞ』

一瞬、息をのんだ。と、いうことは……。

「旅屋、廃業……ですか」

恐る恐る訊くと、

『そういうことだろうな』

思いがけなく冷たい答えが返ってきた。

『鉄壁さん、わかってたんだと思うよ。江戸ソースの江田会長から旅の依頼があったとき、おかえりは絶対に受けて立つ、ってさ。だけど、行ってこいとも言えない、さりとて行くなとも言えない。どうすることもできないから、しばらくおれはいなくなったほうがいい。そう思ったに違いないよ』

市川さんの言葉が、胸の奥にずしんと重たく響いた。

「ちょびっ旅」復活を懸けた重要な旅の依頼。私が断るわけがない、と社長は確かにわかっていたのだ。

けれど、真理子さんと自分の関係を、いまさら私に打ち明けるわけにはいかない。ましてや、そういうわけだから行かないでくれ、などと言えるような人ではないのだ、鉄壁社長は。

とんでもないことをしてしまったんだ、私は。

社長の気持ちを踏みにじって、ここへ来てしまった。いままでいくつもの旅をしてきて、いつだってなんとかなってきた。だから今回だってきっとなんとかなる。漠然と、そう信じて。

だけど、今回ばかりは、いままでとは違ったのだ。

結局、真理子さんの気分も害してしまった。悦子会長から預かった袱紗も、真理子さんのお母さんの墓前に供えることすらできずに。

悦子会長が希望した成果物を持ち帰れない以上、この旅は失敗に終わる。つまり、「ちょびっ旅」復活はなくなる。番通やあけぼのテレビの信用も失う。社長とのんのさんの協力もなくして、私は、旅屋を続けていくことができなくなるだろう。

何よりも、私の身勝手な行動で、結果的にさまざまな人たちを傷つけてしまった。それが何より心苦しかった。

全身から力が抜けてしまった。後悔で、体の隅々までが痺《しび》れるようだった。

『まあ、鉄壁さんのことだから、ほとぼりが冷めた頃に帰ってくるよ。のんのさんとおれとで、もうちょっと捜してみるさ。どうせそこまで行ったんなら、丘ちゃんは任務遂行してくれよ』

返す言葉がみつからなかった。

市川さんにだって、どれほど心配と迷惑とをかけたかわからない。いたたまれない気分になった。目の前に穴があったら本気で入りたかった。

「悦子会長の妹さんのお墓参りは、かないませんでした。……真理子さんに、思いっきり拒否されちゃって」

私は市川さんに、昨夜の一件を打ち明けた。自分の母のお墓には、娘も一緒に入っている。だから、萬鉄壁の事務所のタレントを連れていきたくはない。そう言われてしまったこと。けれど、真理子さんその人が、どんなにすばらしい人で、この町でけんめいに、そして楽しく暮らしているか、ということも。

『そうだったのか。真理ちゃん、元気なんだな。……でもやっぱり、いまも鉄壁さんのこと許しちゃいないんだな』

市川さんの声は、どこかさびしそうだった。私は、思い切って訊いてみた。

「社長と真理子さん、いったい何があったんですか。教えてください。こんな中途半端な気持ちのままじゃ、私、この旅を終わりにできません」

電話の向こうで、今度は市川さんが黙りこくってしまった。しばらくして、観念したような声がした。

『そうだよな。こんなかたちで旅屋が終わりになるんじゃ、あんまりだよな』

そうして、市川さんは、とうとう教えてくれた。いまから二十三年まえ、社長と真理子さんに起こった悲しいできごとを。


ふたりの出会いは三十五年まえにさかのぼる。修学旅行で生まれて初めて東京にやってきた真理子さんを、当時「流行の」街角スカウトをやっていた鉄壁社長が見初《みそ》めたのだ。表向きは「プロデューサーとしてイケてる女の子をスカウトした」ということだったんだろう。だけどほんとうは、一目惚れ、だったのだ。

真理子さんは、早くに母を亡くし、父ひとりに育てられた。その父は、ひとり娘の芸能界入りに猛反対したが、「お父さんに楽をさせたい」と、どうにか説き伏せ、期待に胸を膨らませて、真理子さんはデビューを果たした。

けれど、結果は鳴かず飛ばず。素質はあったのだろうが、鉄壁社長が大切にしすぎたのだろう。真理子さんも、いつしか社長の一途な思いにほだされていった。

真理子さんのお腹に命が宿ったと知って、社長は迷いなく結婚を申しこんだ。真理子さんの実家を訪ねた社長は、真理子さんの父の前で土下座をし、一生をかけて真理子さんを幸せにする、と誓った。父は終始黙りこんだままだったが、ひと言だけ、どうか娘と孫を幸せにしてやってくれ、と告げて涙を流した。社長も、真理子さんも、幸せになります、と涙ながらに誓った。

真理子さんは引退し、社長と結婚。無事、女の子を出産した。美歌と名づけたのは社長だった。美しい歌のように、誰にも愛され、誰の心も和ませることができるように。

その後、美歌ちゃんがどれほど愛情を注がれ、大切に育てられたか、想像に難くない。

社長はやがて独立して、「よろずやプロダクション」を設立。タレントブームが到来したこともあり、何人もの人気アイドルや俳優を育て、よろずやプロは急成長した。

『思えばあの頃が鉄壁さんの絶頂期だったよなあ。顔を合わせりゃいつも言ってたもんだ。恋女房と愛娘のためにおれはどんなことだってする、よろプロを日本一の芸能事務所にして、真理の実家を城みたいな御殿に建て替えて、老後はそこで暮らすんだ、なんてさ』

そして、美歌ちゃんが十歳のとき、事故が起こった。下校時にトラックにはねられ、意識不明の重体に陥ってしまったのだ。

鉄壁社長は、数億円かけた超大型アクション映画のロケで四国の山奥に行っていた。その事務所の看板俳優が、スタントなしで危険な場面に挑むのに立ち会っていたのだ。その俳優も、そして社長も、このカットにすべてを懸けていた。文字通り、お金も、命も、運命も。

そのとき、社長の耳に、美歌ちゃんが事故に遭ったという一報が入った。

『その瞬間、鉄壁さんがどういう反応をしたか、おれにはわからない。けど、大事なシーンを撮り終えるまで、鉄壁さんはその場を一歩も動かなかったそうだ』

美歌ちゃんは、その日の夜、亡くなった。意識不明が続いていたが、息を引き取る直前に、うっすらと目を開けて、美歌、美歌、と狂ったように呼びかける真理子さんに向かって、囁いた。

……ママ。……パパ、どこ?………。

それが、美歌ちゃんの最期の言葉だった。

「じゃあ、社長は……」

私は、声が震えてしまうのを止められなかった。

「美歌ちゃんの最期に、間に合わなかった……ってことですか?」

携帯の向こうで、うむ、とうめくような市川さんの返事が響いた。

それから、社長と真理子さんにとって、地獄のような日々が始まった。

もあなたは仕事を優先した、と真理子さんは社長をののしった。娘の最期より

どれほど美歌があなたに会いたがっていたか教えてあげましょうか。あの子は最期の瞬間に、私じゃなくてあなたを求めたのよ。パパどこ? って。

それなのに、あなたは飛んで帰ってきてはくれなかった。ヘリでもなんでも飛ばして

帰ってくるべきだったのに。

社長には、返す言葉がひと言もなかった。

さらに追い打ちをかけたのは、真理子さんの父の急死だった。幼い孫を失って、悲しみに暮れ、もともと悪かった心臓が発作を起こしたのだ。郷里での告別式へとやってきた社長を、真理子さんは拒絶した。

父には会わせない。あなたは、父との約束を破ったんだから。

私たち、幸せになれなかった。誰ひとりとして。

美歌ちゃんの四十九日が過ぎ、社長は、真理子さんから突きつけられた離婚届に署名し、印鑑を捺《お》した。

美歌ちゃんの遺骨を抱いて、真理子さんは、郷里の檮原へと帰っていった。ひとりぼっちで。


ボーン、ボーン、ボーン。いかにも間延びした音で、柱時計が時を告げる。

うるんだ目を上げて、時計を見た。ちょうど、九時。階下の喫茶店の開店時間だ。

市川さんとの長い電話を切って、二階へ上がり、帰り支度をして、私は真理子さんがやってくるのを待っているところだった。

痛いくらい、よくわかった。現場を離れられなかった社長の気持ち。事務所のタレントを全力でサポートする立場上、すぐに帰るわけにはいかなかったのだろう。二十年以上もまえのことだ、移動手段も通信手段も限られている。断腸の思いでその場にとどまったに違いない。

真理子さんの気持ちもわかる。娘が最期の瞬間に求めたにもかかわらず、父親はそばにいなかった。それは取り返しのつかない事実だ。それまでにも、社長が仕事に励むのを、母と娘は、心のどこかでさびしく思っていたのかもしれない。社長がふたりのために一生けんめい仕事をすればするほど、そばにいてほしいのに、と思っていたのかもしれない。

誰も、悪くない。誰もが、幸せになれるはずだったのに。

二十三年間も、憎しみを心に秘めて生きてきたなんて。それじゃ、真理子さんも、社長も、あまりにも不幸せすぎる。

そのとき、気がついた。

二十三年まえ――私も、十歳だった。

じゃあ、私と美歌ちゃん、同い年、だったんだ。

突然、鉄壁社長と初めて出会った日のことが脳裏に浮かんだ。

あれは、花礼高校二年、修学旅行で東京へ行ったとき。「島メッセンジャー」としてプレゼンテーションをした高校で、四角いハゲ頭のおじさんに話しかけられた。

おじさんは、この学校の保護者の方なんですか？　って訊いたら、
僕？　僕はね、昔、娘が、ここの小学校に……。

確か、そんなふうに口走った気がする。あのとき、なんて言おうとしたんだろうか。

昔、娘がここの小学校に通っていたんだよ。

生きていれば、君と同い年だった。

生きていれば、君のように、笑ったり泣いたりしてたんだろうな。君のように、泣いたあとの笑顔が虹みたいな女の子になっていたんだろうな。

君のように、修学旅行に出かけて。勉強して、友だちと遊んで、恋をして。うんときれいになったんだろうな。

いまは、もう、いない。天国へ逝《い》ってしまったんだよ。

たったひとり、僕を残して。

聞いてもいないのに、社長の言葉が耳の奥で響いた。涙があふれて、もうがまんできなかった。正座した膝の上に、涙のしずくがぽつりと落ちた。

社長、と私は、心の中で呼びかけた。

ああ、いま——わかった。

社長はきっと、私のこと、美歌ちゃんと重ねて見ていたんだ。

そして、私も社長に——父の面影をみつけていたんだ。

いかつい顔の真ん中で、やさしくみつめる目。あの目は、どんなときも守ってくれる、父の目だった。鼓膜の奥で、父の最期の言葉が響く。

わかっとったよ。お前は、いつかこの島を出て、「海のあっち」へ飛んでいくってな。恵理子。大きくなって、帰ってこい。

表通りで、クラクションが鳴り響いた。はっとして、二階の窓の障子を開ける。下を見ると、水色の小型自動車が店の前に停まっていた。

私は、目を疑った。運転席の窓が開いて、顔を突き出したのは、真理子さんだったのだ。

真理子さんは、よく通る声で、二階に向かって呼びかけた。

「もう十時よーっ。早く下りてこーい、おかえりっ」

弾けるように笑っている。冷たいまなざしは、もうどこにもない。私は窓から身を乗り出して、「行きます、いますぐ!」と叫んだ。

ボストンバッグとコートを引っつかみ、転げるように階段を下りる。大あわてで通りへ走り出た。運転席の真理子さんに向かって、息を切らして言った。

「すみません、うっかり……チェックアウトの時間過ぎちゃって」

私の顔を間近に見るなり、真理子さんは噴き出した。

「なあに、その顔。マスカラ全部落ちてる。パンダみたいよ」

車のミラーをのぞきこむ。ほんとだ、目の下真っ黒。

「さては、ホームシックで泣いたのかな」からかうように言うので、

「まさか。あくびですよ。寝坊しちゃって」とごまかした。そのじつ、笑顔の真理子さんにもう一度会えて、泣けるほど嬉しかった。

「さ、行くわよ。早く乗って」

せかされて、急いで助手席に乗りこんだ。駅まで送ってくれるのかな。もう少し、話がしたいんだけど。

「あの、駅で……少しお話しする時間、ありますか。その、電車が来るまででいいですから」

もじもじと訊くと、「はあ?」と素っ頓狂な声が返ってきた。

「行かないわよ。駅になんか」

は?　と今度は、私のほうが素っ頓狂な声を出した。

「駅に行かないって……じゃ、どこへ?」

「檮原よ」

とうに決まっていたように、真理子さんが言った。私は口を開いたまま、真理子さんをみつめた。

「ゆうべ、偶然、私の和紙の先生……ヤンさんから電話があったの。もみじがきれいだ

から、ひさしぶりにもみじを漉きこんだ和紙を作りにこないか？　って。あ、なんかそれいいな、って思って」

連れていきたいな、って思ったの。あなたのこと。

ちょっとてれくさそうに言って、真理子さんは笑った。

「いいわね？」真理子さんが訊く。

「はいっ。もちろん」私が答える。パンダ目を、もう一度こすって。

「じゃ、出発！」

ゆっくりと車が走り出した。その瞬間、いってきます、と心の中でつぶやいて、「やまもも」を振り返った。

入り口のドアには、薄紅色の和紙が貼り出されてあった。「本日休業」の四文字が、あっというまに風の中に消え去った。

## 11

澄み渡る青空を移しとったような水色の小型自動車が、真理子さんと私を乗せて、山道をぐんぐん走っていく。

「もっと近いルートもあるんだけど……紅葉が始まってるだろうから、ちょっと遠回りするね」

そう言って、真理子さんは、わざと山道を選んだ。それでも「二時間くらいあれば着く」とのことだった。真理子さんの和紙作りの師匠、オランダ人和紙職人のヤン・ヤンセンさん、千絵子さん夫妻と、ランチの約束をしたらしい。十二時までには着く予定で、車は愛媛県と高知県の県境の山道をひた走った。

最初、私たちは、申し合わせたように、当たり障りのない話ばかりをした。私のほうは、朝ご飯が最高においしかったとか、広々した和室を独占して泊まることができて嬉しかったとか、お風呂場から見る月がきれいだったとか。真理子さんのほうは、これからヤンさんに会うからか、ひとしきり和紙の話をしてくれた。大洲和紙の歴史、和紙作

りがどんなに心を和ませてくれるか、ヤンさんの作る和紙のそれはそれは美しいこと、などなど。そして、

「ヤンさんの工房で、和紙作り体験できるから。やってみない？」

と誘ってくれた。私は大喜びで、「もちろん、やります！」と答えた。

きのう、厳しい言葉を投げつけられたことなんか、すっかり忘れてしまったみたいに。朝、ひとりで涙を流したことも、なかったように。

真理子さんと私は、仲のいい母と娘のように、会話し、笑い、ときおり歓声を上げながら、色づき始めた木々のあいだを車に乗って抜けていった。

鉄壁社長と真理子さんに起こった、美歌ちゃんを巡る悲しいできごと。決して塗り替えることのできないふたりの過去を、私は知ってしまった。

ふたりにとって、あまりにも決定的なできごとだったのだ。それ以来、真理子さんが鉄壁社長を許すことができずにいるのも、仕方がないのかもしれない。

けれど私は、真理子さんが憎しみの檻《おり》に自ら引きこもって、そこからあえて出まいと踏ん張っているような気がした。

その檻から出ること、つまり社長を許すことは、娘への裏切りになる。父を求めながら絶命した美歌ちゃんの思いを社長に突きつけ続けることで、娘とつながり続けようとするのは、母としての真理子さんの、あまりにも苦しい抵抗のような気がしてならなか

った。

何気なく談笑しながら、真理子さんはほんとうはその檻から出てきたいはずなんだ、と私は思った。

その証拠に、こうしていま、私とドライブしている。あの人の息がかかったあなたを、お墓に連れていくわけにはいかない、と一度は突き放しながらも、そのお墓のある檮原へと、自らが運転して、私を連れ帰ってくれるのだ。

萬鉄壁という人が、どんな人物なのか、どんな父親だったのかを、誰よりもよく知っているのは真理子さんなのだ。娘を見捨てるような人では、決してない。真理子さんは、そう認めたくて、でも認められなくて、苦しんでいる。そう思われてならなかった。

私、なんとかしてあげられないだろうか。

憎しみの檻の戸を開け、猜疑《さいぎ》心の鎧《よろい》を外してあげることができないだろうか。

真理子さんと一緒にいられる時間は、そう長くはない。私は、予定通り、どうしても明日には東京へ帰らなければならない。勝手な判断で飛び出してしまったのだ、市川さんやのんのさん、番通やあけぼのテレビに今回の一件をきちんと説明しなければ。そして、悦子会長へ「成果物」を届ける日は、三日後に迫っている。

何よりも、失踪した社長のことが気がかりだ。

羽田への帰りの飛行機は、明日、松山発十九時四十分の最終便。それまでに、真理子さんを憎しみの檻から解放し、美恵子さんと美歌ちゃんの墓前に袱紗を供える。――そんな奇跡が、はたして起こせるだろうか。

車は、いつしか蛇行した山道を走っていた。道幅がびっくりするほど狭い。舗装もされていない道で、車体が猛烈に揺れる。ちなみに真理子さんの車にはナビが搭載されていない。「近所を走るのに必要ないから」だそうだ。

「これ、ひょっとして龍馬が脱藩した道、だったりしますか」

だとすれば目的地は近いぞ、と期待して訊くと、

「いやいや、全然そこまで到ってない。でもまあ、方向はこっちでいいと思うけど」

怪しげな答えが返ってきた。

「これ、対向車来たらどうするんですか。かわせそうもないけど」

「来ないことを祈ってて……あわわっ」

その瞬間を狙ったかのように、軽トラックがカーブの向こうから突然現れた。真理子さんはあわててハンドルを左に切り、山肌にミラーをこすって急停止した。軽トラックはすんなりと行ってしまった。真理子さんは大きく肩で息をついた。

「危なかったあ。反対側だったら、そこの斜面を転がり落ちちゃったかも」

私も、止めていた息を放った。全身が完全にブレーキになっていた。それから、すぐ目の前を見た。

フロントガラスに、はらり、はらりと真っ赤なもみじの葉が舞い落ちて、ちょうど目の高さにぴたりととまった。周辺の林の木々は色づき始めてはいるけれど、こんなに真っ赤なものはない。助手席の窓を開けて見上げると、道の真上におおいかぶさるようにして、もみじの大木が立っていた。枝いっぱいに、ルビーのように輝く赤い葉を揺らして。

「わあ。真理子さん、見て。すごいもみじが」

真理子さんも窓を開けて、身を乗り出した。そして、「ひゃあ。すごいわ、こりゃあ」と歓声を上げた。

不思議なことに、真っ赤に色づいているのは、その一本のもみじだけだった。私たちは車を降りると、ふたり並んでもみじの大木を見上げた。街中や庭先でちんまりと身を縮こまらせている観賞用のもみじとは違う。太陽の光をめいっぱい浴びて、秋空に届けとばかりに背伸びする野生のもみじ。誰に見られなくとも、宝石の輝きをただ放ちながら。

のびやかな力に満ちたもみじを存分に眺めてから、真理子さんは、独り言のようにつぶやいた。

「見せたかったのかな、このもみじを。美歌のやつ」

私は、真理子さんを見た。横顔が、ふふっと笑う。

「ゆうべ、ヤンさんから電話で『もみじがきれいだから、ひさしぶりにもみじを漉きこんだ和紙を作りにこないか？』って、なんだか唐突に誘われたとき、私、いっぺん断ったのよ。忙しくて当分行けないわ、って。だけどね、明け方、夢を見たの。……美歌の夢」

真っ赤に照り輝くもみじの下で、美歌ちゃんが赤い葉を拾って遊んでいる。そして、真理子さんに向かって、もみじの葉を差し出した。右手に一枚、左手にもう一枚。美歌ちゃんは笑っていて、とても幸せそうだった。そんな夢を見た、と真理子さんは話してくれた。

「目が覚めて、行かなくちゃ、って思ったの。あの子に会いに行かなくちゃ。天国であの子を守ってくれている父に、母に会いに行かなくちゃ。檮原のお墓に――あなたを連れて」

真理子さんは、水色の車のバンパーに落ちたもみじの一枚を手に取ると、何かを思い出すような口調で言った。

「きっと、夢の中で、あの子は……もみじの一枚を私に、もう一枚をあなたに、渡したかったんだ。そんな気がしてね」

フロントガラスについているもみじの葉を、私も一枚、手に取った。そして、「いいえ。違います」と真理子さんの目を見て言った。

「美歌ちゃんがこれを渡したかったのは、……美歌ちゃんのお父さん、じゃないかな」

真理子さんの瞳が揺らめいた。そのまま私をみつめていたが、何も返さずに、もう一度、もみじの木を見上げた。

「さあ、もう行きましょう。ランチに間に合わせなくちゃ」

真理子さんの言葉に、私はうなずいた。もみじの葉を、ジャケットのポケットにそっと忍ばせて。


檮原の豊かな林の中、丘の上にぽつんと建つ古民家が、ヤンさんの和紙工房だった。その丘めがけて、私たちを乗せた水色の自動車はぐんぐん近づいていった。

「あ、いるいる。ヤン・アンド・千絵子。ほら、手を振ってるわよ」

おもしろい映画が始まる直前のように、真理子さんが声を弾ませて言った。

丘の上にふたつの小さな人影が見える。こっちに向かって大きく手を振っている。いったいいつからそこに立っているんだろうか、ヤンさんと千絵子さんは、見晴らしのいい丘の上で、私たちの車に向かって、手を振って合図してくれていた。

「私が携帯持ってないから、『もうすぐ着くよ』って連絡のしようもないじゃない？なのに、そろそろ来るだろうな、って時間に、いっつもああしてふたりで待ってくれてるの。手を振ってね」

ハンドルを握りながら、真理子さんは嬉しそうだ。「ほら、あなたも。手を振ってあげて」

私は助手席の窓を全開にして、「こんにちはーっ！」と手を振り返した。

「ややや、真理子、おかえりなさい！」

運転席から降りた真理子さんを、ヤンさんは、大きな体でがっちりとハグした。長らく会っていなかった妹を迎えるように。千絵子さんも、「おかえりなさい、真理ちゃん」と真理子さんを抱きしめた。血のつながりはなくても、三人はきっと家族、なのだ。

ふたりは私と握手を交わした。「よく来たね」「待ってましたよ」。初めて会ったのに、なつかしい友人に再会したような気分になった。

「さあて。それじゃ、まずは葉っぱ集めにいこうか」

元気よくヤンさんが言った。到着後すぐの提案に、私は焦ってしまった。

「あ、あの……それって、今日のランチに入れる食材ですか？」

さっきからずっとお腹が鳴っていたので、思わずそう訊いた。あっはっは、とヤンさんは豪快に笑った。

「違う違う。ランチのあとに和紙を作るだろ？　そこに色づいた葉っぱを漉きこんだら、すごくすてきなんだ。どんな葉っぱがいいか、それは作る人が自分で選んだほうが、出来上がった紙に愛着が持てるからね。リーフ・ハンティングだよ」

彫りの深い目鼻立ちに青い瞳、外国人の着ぐるみを着た日本人なんじゃないか、と思われるほど、流暢《りゅうちょう》な日本語でヤンさんが言った。「あと十五分、シチューを煮こむのに欲しいのよね」と千絵子さんがウインクした。なんだか千絵子さんのほうがよっぽど外国仕こみ、って感じなんだけど。

真理子さんと私は、ヤンさんに連れられて、丘のふもとの林へと入っていった。そこここに木漏れ日が輝き、日だまりにはらはらと赤や黄色の木の葉が舞っている。

「変わった形や色のものを選んでみて。そのほうがおもしろく仕上がるわよ」

真理子さんにアドバイスされ、いつしか空腹も忘れて、私は落ち葉拾いに夢中になった。

ああ、なんだろう、この感じ。たまらなく、なつかしい。地面にしゃがんで、指先で、自然の中に呼吸するものをたぐりよせる感覚。

故郷の島で友だちと花を摘んだ、弟と小石や貝殻を拾った、あの感じにそっくりだ。

「不思議だなあ。木の葉を拾ってるだけなのに、なんだか、ほっとする」

思わずつぶやくと、真理子さんが「でしょう？」と相づちを打った。

「私もね。ずいぶん、助けられたのよ。この感じに」

林の中で拾い集めた色とりどりの落ち葉を、大切に両手に包んで、私たちはヤンさんの工房へと帰っていった。

ダイニングに一歩踏みこむと、いい匂いに包まれた。ことこと煮こんだクリームシチューの香り。「おかえりなさい。お腹すいたでしょ？」とエプロン姿の千絵子さんが笑顔で迎えてくれた。

「めっちゃ、お腹すきました！」

まるっきり子供のような返事をしてしまった。ヤンさんと千絵子さんと真理子さんは、気持ちのいい笑い声を立てた。

古い和室を改造して作られたダイニングのテーブルいっぱいに、蒸し野菜、サラダ、ソーセージ、マスタード、ジャム、焼きたてのパン、そしてシチューが並んだ。私たちは大いに食べて、話して、笑った。これから和紙作りがあるので、ビールは一杯だけ。それがまた、食欲とおしゃべりを進ませた。

ヤンさんは、アムステルダムの大学生だった頃、日本の留学生から誕生日にプレゼントを贈られた。プレゼント自体はなんだったか忘れてしまったが、その箱を包んでいた和紙に触れ、「世の中にこんなに美しいものがあったのか」と感動した。それが、ヤンさんの一生を決めるできごとだった。

「思いこんだら命がけでねえ、ボクって」とまた、ヤンさんは巧みな日本語で語った。

「オランダで和紙のこと考えていたって、どうしようもないでしょ？　だから、大学卒業してすぐ、日本に来ちゃったんだよ。京都や岐阜や福井や、和紙の産地をあちこち巡って……それで、結局、内子の大洲和紙にたどり着いたんだ」

大洲和紙の製造工場でしばらく修業をして、そのあと何かに導かれるように高知へと移った。そして土佐和紙の産地、いの町で、和紙工房の近くにある食堂の看板娘だった千絵子さんに出会った。千絵子さんの両親は、外国人との結婚に猛反対したが、和紙を心から愛し、日本の文化と伝統に敬意を払うヤンさんの人柄と、「必ず千絵子を幸せにする」という情熱に、ついに折れたのだった。

「すごい。それで、約束通り、幸せになったんですね」

私が言うと、ヤンさんは少してれて、「どうかなあ」と白髪頭を掻いた。

「ボクはこの通り、和紙のこと以外はなんにもわかんないから」

「あら、幸せじゃないの？」千絵子さんが不満そうな声を出した。

「キミは幸せなの？」とヤンさんが訊き返す。ふふふ、と笑って千絵子さんが答える。

「幸せ。とっても」

あーあ、と真理子さんと私は、あきれた声を出した。

「ほんっと、もう、お腹いっぱい。ごちそうさま」

女性三人が食後のおしゃべりに花を咲かせているあいだに、ヤンさんは手際よくお皿を片づけ、キッチンへと運んでくれた。洗いものをする音が聞こえてきたので、私も席を立ち、「お手伝いしましょうか」と流しに立つヤンさんの横に並んだ。

「おっ、助かるね。じゃあ、お皿を拭いてくれる？」

キッチンクロスを手に取って、私は次々にお皿を拭いた。ヤンさんは休みなく手を動かしながら、「しかし、驚いたなあ。今朝、急に真理子から電話があってさ」と言った。

「『そっちに連れていきたい女の子がいるんだけど、今日、いいかな？』って。いつも来るときは、遅くとも一週間まえに連絡くれるんだけどね。今日はたまたま、ボクも千絵子も予定がなかったから、よかったけど」

私は、お皿を拭く手を止めた。

「もみじがきれいだから和紙作りにおいで、って……ヤンさんが誘ったんじゃなかったんですか？」

きゅっと蛇口を閉めると、ヤンさんは不思議そうな顔をした。

「だって、今日は土曜日だよ？　真理子は店があるし、ボクのほうからは誘えないよ」

ふと、真理子さんの言葉が、鼓膜の奥によみがえる。


夢を見たの。……美歌の夢。


私とヤンさんは、並んで、ダイニングの入り口に佇んだ。

千絵子さんと、真理子さん。窓から差しこむ日差しが、ふたりの笑顔をあたたかく照らしている。

「ヤンさん。お願いがあるんですけど」

私は、隣のヤンさんに囁いた。うん？　とヤンさんが耳を傾ける。

「今日は、ヤンさんが私たちを誘ってくれた。そういうことに、してくださいませんか」

ヤンさんは、私を見た。にっこり笑って、うなずいた。

真理子さんの笑顔をみつめながら、心の中で、私はそっと語りかけた。目には見えないけれど、いま、ここにいる女の子に向かって。

わかってる。

私たちをここへ誘ってくれたのは、あなただよね？——美歌ちゃん。


日曜日の朝。檮原の空は、飛び立ちたくなるくらい、高く青く晴れ渡っていた。

昨夜、真理子さんとヤンさんと千絵子さんと、途中からご近所の人たちもやってきて、にぎやかな宴会となった。千絵子さんは、クエという魚と地元でとれた野菜を使った、高知名物「クエ鍋」なるものを作ってくれ、おいしい地酒と楽しい会話で、まったく時が経つのを忘れる一夜となった。

私はといえば、このさい、小難しい「ミッション」なんぞは横に置いといて、とにかくいまは真理子さんや檮原の人々とのひとときを楽しもう、と心に決めた。従って、ずいぶん笑って、ずいぶん食べて、ずいぶん飲んでしまった。

ほろ酔いの頭の中に、ときおり、鉄壁社長の顔がふっと浮かんだ。しょうがねえなあ、と渋い顔、でもまあいいか、と苦笑顔。くるくると変わる豊かな表情、その真ん中で、いつも変わらない、やさしい目。

ごめんなさい社長。私、ここまで来ちゃいました。社長の気持ちを踏みにじって、のんのさんと市川さんにも逆らって。

でも今夜だけ、許してください。もうすぐ私、帰ります。明日の夜には、東京へ。だから社長も、帰ってきてくださいね。

「おかえり」って、私、きっと迎えますから。

頭の中を言い訳が巡りめぐるうちに、いつのまにか眠ってしまった。

カーテンのすきまから漏れる日差しがまぶたに落ちて、ようやく目覚めた。隣で寝ていたはずの真理子さんのふとんはきちんとたたまれて、部屋の隅に鎮座している。カーテンを開けると、窓いっぱいに秋空が広がった。

「ほんと、おかえりさん、飲んだよねえ。最後のほうではなんかぶつぶつ言いながら、つぶれちゃったけど」

朝食の席で、コーヒーをいれながら、千絵子さんがおもしろそうに言った。私は「すみません」と小さくなった。

「まさか、彼氏の名前を呼びながら沈没するとはなあ」

真理子さんがくすくす笑った。私は「ええっ」と声を上げた。まさか、元ちゃ〜ん、なんて言ってたんじゃあるまいな。

もろに焦りが出てしまったのだろう、私の顔を見て、真理子さんは「嘘だよ、うそ」といっそう笑った。

「でもま、誰かを呼んでたには違いない。帰ってきてくださいよ〜、ってぶつぶつ言ってたし。誰に帰ってきてもらいたいんだかを訊き出すまえに、寝ちゃったんだけどね」

さすがに、しゃちょ〜、とは口に出さなかったようだ。

「さて。そろそろ出かけたほうがいいんじゃない？　お弁当作っといたから、これ持っていってらっしゃい」

真理子さんに向かって、千絵子さんが小さな紙袋を差し出した。「さすが千絵子姉さん。気が利くね」と真理子さんはそれを受け取った。

「なんだか、ピクニックみたい。わくわくする」私が言うと、

「うん、ピクニックみたいなもんだ」真理子さんがまた笑った。

私たちは、これから、檮原の町のはずれにある墓地へお墓参りに出かける。数年まえ、

真理子さんは実家を売却し、身辺を整理してから、お墓だけをふるさとに残して内子へ移り住んだ。いまでも月一回はお墓参りのために帰ってくる。その都度、ヤンさん夫妻のところに立ち寄るんだそうだ。いまでは、ここが真理子さんの実家代わりだった。

車に荷物を運んでいると、工房からヤンさんが出てきた。もう朝のひと仕事を終えたらしい。「朝は空気が張り詰めていて、和紙作りにはいちばんいい」そうだ。私はヤンさんに向かい合うと頭を下げた。

「私の作った紙、あとはよろしくお願いします」

きのう、ランチのあとに、ヤンさんと真理子さん、ふたりの先生に両側から教えられて、生まれて初めて和紙を作った。

庭で栽培しているミツマタが原料の白皮を、冷水に浸し、塵《ちり》を取る。きれいになった原料を、こん棒で叩き、薄く伸ばしていく。それを四角い漉き槽《ぶね》に入れ、棒でよくかき混ぜ、粘液を加え、繊維を均一にして、す桁《げた》で紙を漉いていく。最後に搾って、乾燥させて完成なのだが、最後の工程は時間がかかるので、ヤンさんが「責任を持って」仕上げ、後日郵送してくれるということだった。

紙漉きの作業とは、なんとも心安らかな作業だった。なんのまじりけもない、自然から生まれた素材を、とんとんとひたすら叩き、す桁の中で繰り返しならしていく。凝り固まっている心がやさしくほぐされ、とろとろと撫でられて、すなおにかたち作られていく。そんな気がした。

私、これに助けられたから。

真理子さんの言葉の意味を、和紙を作る作業の中で、私はようやく理解した。

木漏れ日の林の中で拾い集めた落ち葉を、一枚一枚、和紙の原型の上にそっと並べながら、私は、真理子さんが和紙作りに向かい合ってきた幾千時間を思わずにはいられなかった。

美歌ちゃんを亡くし、お父さんを亡くして、鉄壁社長と別れ、ひとり、郷里へ舞い戻った真理子さん。

心の中に吹き荒れる雨風を、こうして、ひとつひとつ、誠実な作業を繰り返しながら、鎮めてきたのだ。

和紙を作ること。それは、真理子さんにとっては「心の旅」だったに違いない。和紙に向き合うことで、自分の心の中へ、深く、ゆっくりと旅してきたのだ。愛する人たちに、思い出たちに手を振って、どうにか帰ってきたのだ。ひとりで生きていかなければならない現実へと。

紙の繊維はね、こうして、叩かれて叩かれて、強く、美しくなるんだよ。

作業をしながら、ヤンさんが教えてくれた。すると真理子さんが、微笑みながら言い添えた。

まるで人間みたいにね。

すんなりとすなおなその言葉が、やけに胸に響いた。

叩かれて叩かれて、強く、美しくなる。

その言葉は、真理子さんの人生そのものだった。同時に私は、私を支えてくれた人たち――鉄壁社長、のんのさん、市川ディレクターを思い出した。カメラマンの安藤さん、ADの奥村君、ヘアメイクのみっちゃん、スタイリストのミミちゃんも。

そして、幾多の旅の依頼人、旅先で出会った人たち。鵜野さん親子、玉肌温泉の大志さんとその家族――悦子会長。そのほか何人もの、いろんな事情を抱えながらも、せいいっぱい生きるいとおしい人たち。

いいことよりも、きっと、つらいことのほうが多かったに違いない。けれど、みんな、一生けんめいだった。叩かれて叩かれて強くなった、美しい人たち。

この言葉、このさきもずっと大切にしよう。そう思った。

「紙の完成は一週間後くらいだけど、楽しみに待っててください」

ヤンさんに言われて、私はうなずいた。

「来てくれてありがとう。キミに会えてよかった。和紙を作ってくれて、一緒に作ることができて、嬉しかった」

ヤンさんは、大きな右手、もう何万枚もの和紙を作り続けてきた手を差し出した。私は、その手を握った。冷たい水にさらされたはずなのに、日だまりのようにあたたかな手だった。

「また帰ってきてね。約束やき」

高知弁を交ぜながら、千絵子さんが言った。そして、私の体をやわらかく抱きしめてくれた。この抱擁が、どんな言葉よりも、千絵子さんの気持ちを表していた。

「それじゃあ、いってきまあす」

きのう到着したときと同じように、窓を全開にして、私は大きく手を振った。ヤンさんと千絵子さんも、肩を寄せ合って、手を振ってくれた。

丘を越え、林を越えて、やがて小さな家が見えなくなるまで、遠ざかる友に見えるようにと、大きく、大きく手を振っていた。

真理子さんが運転する水色の自動車は、町のはずれの静かな墓地にたどりついた。

国沢家の墓所は、墓地のいちばん奥まった場所にあった。ブロック塀の向こうはお寺で、お寺の庭の色づいたもみじがこちら側に枝を広げて、お墓の上に赤く明るい影を作っていた。それを見て、きのうの山道でのもみじのことを思い出し、私は真理子さんを振り返った。真理子さんも同じことを思い出したのか、にっこりと笑った。

ヤンさんの工房の庭先で、今朝、野菊を摘んできた。そのみずみずしい花を供え、お線香を焚いて、墓石を水で清めた。

真理子さんが墓前にしゃがみ、手を合わせた。目をつぶって、頭《こうべ》を垂れる。そのまま、長いこと動かなかった。ほっそりした美しい背中をみつめているうちに、真理子さんがお父さんやお母さんに、そして美歌ちゃんに、心の中で語りかけている言葉の数々が、こちらの胸にも響いてくる気がした。そこには怒りや悲しみはなかった。長い時間をかけて、怒りや悲しみを乗り越えてきた人の持つあたたかさとやさしさとが、静かに伝わってきた。

やがて真理子さんは立ち上がり、私のほうを振り向いた。そして、微笑んで言った。

「母がね、『ようこそ、いらっしゃい』って。そう言ってる気がした」

その言葉に、胸に熱いものがこみ上げてきた。私は黙ってうなずくと、トートバッグの中から、藤色の袱紗を――悦子会長から託された、あの袱紗を取り出した。

妹の墓前に行くことができたら、そのときに開けてください。

それまでは、決して開けてはなりません。

旅の依頼を受けたとき、悦子会長が口にしたおとぎ話の一節のような言葉。

私は、真理子さんに袱紗を差し出すと、お願いした。

「一緒に、供えてくださいますか」

真理子さんは、小さくうなずいて、墓前に私と並んでもう一度しゃがんだ。
私は墓石の前に袱紗を置くと、両手を合わせた。それから、隣の真理子さんに囁いた。
「開けてください」
真理子さんは、袱紗を一心にみつめている。手に取って、こわれものに触れるように
そうっと開いた。私は息を詰めて、その様子を見守った。
「あ……」
真理子さんの唇から、驚きの声が漏れた。
袱紗の中から現れたのは、小さな一枚の端切《はぎ》れだった。
紺地に白い絣。古い着物の切れ端のような。
その瞬間、突然思い出した。悦子会長が語ってくれた、昔むかし、末の妹——真理子
さんの母、美恵子さんとの別れの場面。
遠縁の家にもらわれていく妹に、悦子会長は声をかけた。
早く帰っておいでよね、美恵ちゃん！
ぱっと振り返った妹は、うん！　と笑顔でうなずいた。そして、母親が自分の着物を
ほどいて作ってくれたワンピースの裾を翻して、くるっと回ってみせた。
紺地に白い絣のワンピース。
それが悦子会長と美恵子さんの、永遠の別れだったのだ。

「真理子さん、これ……」

すぐに説明しようと、私は真理子さんのほうを向いた。真理子さんは、両手に広げた端切れに視線を落としている。かすれた紺地に、ぽつん、ぽつんと水玉が広がる。涙の水玉が。

お母さん、と囁くと、真理子さんは、小さな小さな端切れを胸に抱いた。いとおしそうに。

真理子さんは、それから、あふれる涙を何度もぬぐって教えてくれた。

この端切れは、まぎれもなく、真理子さんのお母さんが大切にしていたワンピースのもの。お母さんは、子供の頃にお気に入りだったそのワンピースをずっと大事にとっておいて、幼い真理子さんに着せてくれた。お母さんがいちばん好きだったお洋服、真理子にあげるきね、と言って。それからまもなく、天国へと旅立った。

お葬式のときも、真理子さんは黒い服を着なかった。お母さんがいちばん好きだった服を着る、と言い張って、あのワンピースを着た。大きくなってもう着られなくなってしまっても、ずっとそばに置いていた。いつか結婚して、娘が生まれたら、これを着せてあげるんだ、と願っていた。おばあちゃんのいちばん好きだったお洋服よ。そう教えてあげるんだ、と。

そして、美歌ちゃんが逝ってしまったとき——あのワンピースを、小さな棺に一緒に入れた。天国でおばあちゃんに着せてもらうんだよ、と泣きながら告げて。

そして、いま——真理子さんのもとへ、帰ってきた。

そのささやかな端切れが、すべてを語っていた。

美恵子さんを養女に出してしまった母の、せつない思い。最後に送り出したときに着せてあげたワンピースの端切れを大切に保管して、亡くなる間際まで、きっと忘れはしなかったのだ。

幼い妹と生き別れてしまった悦子会長の思い。母の遺品の中からこの端切れをみつけた瞬間に、きっと思い出したのだろう。母の手製のワンピースを着て、くるっと回ってみせた無邪気な妹の姿を。

そして、会ったこともない、妹の娘、真理子さんへの思い。

さらには、真理子さんから美歌ちゃんへの思い。

四世代にわたる、母と娘の運命。叩かれて叩かれて、強く、美しく生きた彼女たちの思いが、たった一枚の端切れにこめられていた。

「なんだか、全部わかってて……悦子おばさまは、あなたを私のところに送りこんでくれたのかもしれないわね。この端切れさえ見てくれれば、全部わかる、って。お墓の中のお母さんも、美歌も。……私も」

真っ赤な目を私に向けて、真理子さんが言った。私は、涙をこらえて微笑んだ。

嬉しかった。真理子さんが、悦子会長の思いをまっすぐに受け止めてくれたことも、悦子会長を「おばさま」とごく自然に呼んだことも。

真理子さんの心の中で固く閉ざされていたドアが、開いた瞬間だった。がちがちに固まっていた鎧が外され、真理子さんの心が解き放たれて秋空に飛び立つのが、ふっと見えた気がした。

それから私たちは、もみじの木陰にビニールシートを広げて、千絵子さんが持たせてくれたお弁当を広げた。

いろんな、ほんとうにいろんな話をした。真理子さんは、檮原のすばらしさ、ふるさとのあたたかさ、ヤンさんや千絵子さん、人々のやさしさについて。四国の自然の美しさ、おいしい食べ物、心洗われる風景の数々について。

私のほうは、もっぱら旅の話。いままでの依頼人のこと、旅先で出会った人々。「ちょびっ旅」の思い出、「旅芸人」の家族たちがどんなにすてきか。真理子さんは、楽しそうに、ズッコケエピソードのときは声を上げて笑いながら、ときに涙ぐみながら、私の話に聴き入ってくれた。

「そうかあ。ほんとに、おかえりは人に恵まれてるんだね。東京でも、旅先でも」

真理子さんの言葉に、私はうなずいた。

「残念だけど、私、タレントとしては才能にも運にも恵まれなかったと思います。でも、ラッキーなことに、それ以上のものに恵まれたんですね」

「それ以上のもの？」と真理子さんが訊いた。私は、微笑んで答えた。

「私を支えてくれる人たち。それから、旅をすること。このふたつに恵まれて、私、最高に幸せです」

少し強い風が、真理子さんの髪を揺らして通り過ぎた。赤いもみじのひと葉が、真理子さんの膝の上に落ちてきた。それを手に取って、指先で回すと、真理子さんが言った。

「あの人も……鉄ちゃんも、あなたを幸せにしてくれている人たちのひとり、なのかな」

少してれくさそうな声だった。静かな微笑みが、真理子さんの横顔に浮かんでいた。私は嬉しくなって、もう一度、大きくうなずいた。

「でも、鉄ちゃん、『旅屋』のマネージャーなんでしょ？　あなたにあれこれ指示して、エラそうにふんぞり返ってるだけじゃないの？」

意地悪なことを言う。私は「いいえ」とすぐに返した。

「私、いつだって、社長と一緒に旅してるつもりです。……いまも」

微笑と涙が、同時にこみ上げてしまった。涙がこぼれるのを止めたくて、私は上を向いた。それに誘われるように、真理子さんも空を仰いだ。

私たちは、頭上に広がる紅葉を眺めた。赤く輝く天蓋と、その上にどこまでも広がるさわやかな秋空。真理子さんは、ひとつ、深呼吸をした。私もつられて、深呼吸をした。

「きれいね」

「きれいですね」

「ほんとに、いい日」

「……旅立ち、ですね」

私たちは、顔を見合わせると、気持ちよく笑った。涙は、いつしか乾いていた。

そうして、真理子さんと私は、ふたり並んで、しんしんと深まる秋を眺めていた。いつまでも。


水色の自動車は、高知県と愛媛県の県境の夜道をひた走っていた。

松山空港十九時四十分発羽田行きの最終便に間に合わせようと、真理子さんはかなりの速度で山道を突っ走っている。内子から檮原へ行くときに走った山道よりはまともな道だけど、それにしてもすごい飛ばし方だ。パトカーが追いかけてきませんように、と祈らずにはいられない。

墓地で長い時間を過ごしたあと、私たちは、四国カルストを見にいったり、真理子さん行きつけの喫茶店でコーヒーを飲んだりして、おしゃべりがなかなか終わらず、長い時間をともに過ごした。気がつくと日が暮れていて、「やばい、飛行機に間に合わない！」とようやく私が言ったので、びっくりした真理子さんが、「じゃあ松山空港まで送るから」ということになった。檮原周辺を出発したのが夕方五時すぎ。松山空港までは車で二時間、ということだったから、チェックインにぎりぎり間に合うかどうかのタイミングだった。

ナビなしで暗い山道をどうやってたどりつくのか、と思ったが、「高知の女をなめたらいかんぜよ」と真理子さんは言った。その言葉に嘘はなかった。

出発まであと三十分、前方に空港の光が見えてきた。よかったあ、と私が助手席で胸を撫で下ろすのを見て、

「何よぉ、信じてなかったわけ？　『真理ナビ』を」

ちょっと不満そうだった。

空港がぐんぐん近づいてくる。スピードを落としながら、「ねえ、おかえり」と真理子さんがつぶやいた。

「また来てくれるよね？」

私は、ひとつ、うなずいた。

「必ず」

車が、出発口の前の車寄せに停まった。私は急いで外に出て、後部座席から荷物を出すと、

「ほんとに、お世話になりました」

運転席の真理子さんに向かって頭を下げた。真理子さんは、助手席の窓を開けて、こちら側に身を乗り出すと、

「手を振ってもいい？」

唐突に訊いた。

「いつか、手を振る日がくると思ってた。思い出に。それが、今日」

いままで、孤独な心をなぐさめ続けてくれた、思い出たち。

子供の頃の、母の思い出。おおらかに育ててくれた、父の思い出。

いつも明るく笑っていた、娘の思い出。

私をあたため続けてくれた、やさしい思い出たち。でも、いつか手を振って、私、歩み出そうと思ってた。新しい人生を始めるために。

「そのきっかけをくれたのは、あなたよ。それから、悦子おばさま。ほんとうに、ありがとう」

一瞬で、胸がいっぱいになってしまった。私は、返す言葉を探して、運転席の影の中にいる真理子さんをみつめた。真理子さんは、大事なことを打ち明けるような輝く目に

なって、言ったのだった。

「それからね。今度、こっちに旅するときは、ひとりじゃなくて……ふたりで帰ってきてもいいからね」

――あの人と。

小さな声だった。けれど、はっきりと、そのひと言は私の耳に届いた。

うなずくのがせいいっぱいだった。涙がまた、こみ上げてしまって。

真理子さんは、ゆっくりと手を振った。目の前を通り過ぎていく思い出たちをなつかしむように。私も、手を振り返した。真理子さんの笑顔が、にじんで見えた。

水色の自動車、テールライトの赤い色が夜の中に消えていくまで、私はずっと手を振っていた。いつまでも、そうしていたかった。

大きくひとつ、白い息を吐いた。夜空を仰ぐと、漆黒の中に星々がきらめいている。

さあ、帰ろう。

誰も待っていなくても――帰るんだ、よろずやプロの事務所に。

だって、あの場所が、私の「ふるさと」なんだもの。

出発口から、航空会社のカウンターへと向かう。チェックインの締め切りに、ぎりぎり間に合った。

「出発時間が迫っておりますので、搭乗口へお急ぎください」

カウンターで係員に促され、すぐに搭乗口へ向かおうとした。——と、そのとき。

搭乗口近くのベンチに、ぽつんと座っている人が視界に入った。

ド派手なチェックのジャケットに、赤いネクタイ。

見慣れたかたちの、四角いハゲ頭。

所在なさそうに、ため息をついている。なかなか帰ってこない娘を心配する、父親のように。

私は、言葉を失って、その場に立ち尽くした。ふと、四角いハゲ頭のおじさんが、顔を上げてこっちを見た。どんぐり眼が、じっとみつめている。

社長。

どうして、ここに——。

よっこらしょ、と立ち上がると、ハゲ頭を掻いて、鉄壁社長が言った。

「……迎えにきた」

今日いちにち、ずうっと、なんとかこぼさずにがまんしていた涙。一気にあふれた。

次の瞬間、私は駆け出した。社長の首に思い切り抱きついた。そして、泣いた。迷子の子供が、父親に、ようやくみつけてもらったときのように。

「おいおい、なんだよ。みっともねえ、泣くな。いい年して」

苦笑しながら、けれど涙声になりながら、社長は幼子をあやすように私の背中を叩いた。それでいっそう、涙が止まらなくなってしまった。

せいせいと、気持ちのいい涙。

ただいま、社長。帰ってきました。

泣きながら、そんなことをつぶやいたのかもしれない。だって、社長の返事が聞こえたから。

おかえり――と、たったひと言が。

# 12

よろずやプロが入居している雑居ビルの前に、磨き上げられた黒塗りの高級車が停まっている。江戸ソースから差し向けられた、お迎えの車だ。

ぼろビルの出入り口に、最初に出てきたのは鉄壁社長。いまやこれが定番になりつつあるのがちょっとコワい、ド派手なチェックのジャケットに黒いズボン、真っ赤なネクタイ。やっぱりシュミ悪いですよ、と訴えたのだが、「これがほんとの一張羅なんだから、しょうがねえだろ」と開き直っていた。うやうやしく後部座席のドアを開ける運転手に、「お勤め、ご苦労さまです」とていねいに頭を下げている。

鉄壁社長に続いて後部座席に乗りこんだのは、のんのさん。紫色のサテンのワンピースに、規格外の体を思いっ切りねじこんで、はち切れんばかりにぴっちぴちだ。「お前、それじゃまるでボンレスハムじゃねえか」と社長の失礼コメントにも、「何言ってんの、これぞ熟女のお色気決定版よ」とやる気満々だ。何しろ、「ン十年ぶりに」高級フレンチレストランでのランチに招かれたのだから、やる気を出すなと言うのは無理な話だ。

最後に、あわてて助手席に乗りこんだのは、私。やっぱり一張羅の、黒のワンピース。「お受験ママみたいねえ」とのんのさんにはからかわれたが、私こそ、フォーマルな服はこれしかないんだから、仕方ないんだってば。

一昨日、松山発羽田行きの最終便で、帰ってきた。「旅屋」史上初、鉄壁社長のお迎え付きで。

悦子会長との最初の会食のあと、姿をくらませた鉄壁社長は、実は「旅に出た」のだという。

誰にも理由を話さないまま、悦子会長の依頼をほっぽり出して、初めは悶々と家に引きこもっていた。どうしたらいいのかさっぱりわからなくなって、どうしようどうしよう、と部屋の中をうろうろ、うろうろ。そのうちに、そうだ、こんなときこそ旅に出ればいいんだ、と思い立ったらしい。

考えてみれば、幾多の依頼人の旅への要望や憧れを聞いてきたくせに、そしておかえりを次々に旅へ送り出してきたくせに、自分はといえば、社長室の椅子にふんぞり返って、スポーツ新聞各紙を見くらべていただけじゃないか。

そうだよ、そうだ。旅に出よう。

思い立ったが吉日、長いこと使っていなかった旅行鞄に、タオルと歯ブラシ、着替えを詰めこんで、大好きな司馬遼太郎の文庫本を一冊、上着のポケットに入れて、旅立った。

とはいえ、先立つものが乏しかったので、手っ取り早く東海道線の鈍行電車で行けるところまで行くことにした。小田原、熱海、浜松と、車窓に流れる風景を飽かず眺めて、ふと、いつしか心が軽くなっていることに気がついた。

なんだ。何をぐずぐず考えてたんだ、おれは。

あいつは、えりかは、こうして、もう何百日も旅を続けてきたんだ。つらいことも苦しいことも、全部、旅をしながら、自分の中でかたをつけてきたんだ。

どうだい、あいつの強いこと。すがすがしくて、胸がすくほど格好いいこと。

それにくらべて、このおれのまぬけなことったらねえぞ。

昔むかし、娘を亡くし、恋女房にフラレて、おれはダメな人間になった。仕事もダメ、人生もダメ。何もかもダメ。やけくそになっていた。

そんなとき、礼文島から出てきたあいつに会ったんだ。

泣いたあとの笑顔が、虹みたいだった。美歌が生きてたら、きっと、こんな女の子になっただろう。そんな思いもあって、なんとしてもこの子を育ててみたい、と意気ごんだ。

でも、ダメだった。あいつがダメだったわけじゃねえ。おれがダメだから、ダメだったんだ。とっとと故郷へ帰れ、嫁にでもいっちまえ。またまたやけくそになって、そう思った。だけどあいつは、そうしなかった。

ここが、私のふるさとです。鉄壁社長と、のんのさん。ふたりのあいだの、この位置が。

そう言って、とうとう、ほんものの旅人になりやがった。

どうだい、格好いいじゃねえか。

おれは、あいつの「親父」として、もうちっとばかし格好よくなれねえのかな。すかっと胸のすく旅を、できねえのかな。

胸の奥に、もうずいぶん長いこと、でんと座りこんだままだった「わだかまり」という名の石。それが、ごろんと音を立てて動く気配があった。

実は、社長のふるさとは、檮原からさほど遠くはない、高知県の土佐清水《とさしみず》市だった。両親が他界し、真理子さんと離縁したいまとなっては、もう帰る理由はどこにもなかったし、どうしたって帰れなかった。けれど、おかえりがいま四国へ行ってるはずだと思うと、自分も四国へ、ふるさとへ舞い戻りたい、という気持ちが膨れ上がった。

名古屋までやってきて、社長は、いつも「旅屋」で航空券やJRのチケットの手配を頼んでいる旅行代理店に連絡をした。そして、案の定、おかえり本人から羽田—松山往復の航空券の手配を頼まれた、と教えられた。

江田会長の依頼通り、あいつは内子へ旅をしている。いまはまだ、自分はふるさとへ帰れる身の上じゃないけれど、せめて迎えにいこう。そう決めて、日曜日の朝いちばん、小牧《こまき》空港発松山行きの飛行機に乗った。

そうして、そのまま一日、空港で待っていてくれたのだ。羽田行きの最終便に乗るために、私がやってくるのを。

社長の失踪が、実は社長にとって初めての本格的な「旅」となったいきさつを、松山から羽田行きの機中で聞かされて、私はなんだかおかしく、嬉しく、ありがたく、また泣けてきた。

私は、真理子さんのことを——内子と檮原で起こったできごと、美恵子さんと美歌ちゃんの墓前に藤色の袱紗を供えたこと、中に入っていたものがなんだったか——わずか三日のあいだに起こった奇跡のようなできごとの数々を、社長に報告した。

社長は、終始涙目で、黙って聴き入っていた。真理子さんが最後に「思い出に手を振って別れた」こと、「今度は、あの人とふたりで帰ってきてもいいからね」と言ってくれたことを伝えると、どんぐり眼に表面張力でなんとかへばりついていた涙が、堰《せき》を切ったように流れ出した。

男泣きに泣く、芸人ばりのジャケットを着た四角いハゲ頭のおじさんに、客室乗務員のお姉さんはおろおろし、周囲からは好奇のまなざしが注がれた。私は、ただただ、泣き笑いだった。

やっぱり、おれは格好わりィなあ。

目も鼻も真っ赤にして、おしぼりで顔をごしごし拭きながら社長が言った。私は、黙って首を横に振った。

かっこいいですよ、社長。

旅先の空港まで、娘を迎えにきてくれるお父さん。最高です。

口に出して言いたかったけど、てれくさかった。だから、心の中で、そう言った。

さらなるサプライズが、羽田で待っていた。なんと、到着口で、のんのさんが待ち構えていたのだ。

私たちの顔を見るなり、「ごるァ！」と異様にドスの利いた声で、いきなりどなりつけられた。やはり旅行代理店に連絡をして、ふたりが同じ便で松山から帰ってくるとわかって、待ち構えていたらしい。鬼の形相で、のんのさんは怒り散らした。

「なんなのよあんたたち！　あたしに心配ばっかりかけて、いっつもあたしを置いてけぼりにして！　あたしは、いつだって、あんたたちが帰ってくるのを待ってるばっかりで……」

そこまで言うと、のんのさんの目にみるみる涙があふれるのが見えた。ごめんなさいっ！　と私は、たまらずにのんのさんに抱きついた。今度は、のんのさんと私が、抱き合って一緒に泣くはめになってしまった。

社長は失踪してしまったことを必死に詫びたが、のんのさんはなかなか許さない。結局、「成果物」を悦子会長にお届けに上がるときに一緒に連れていく、そして再びセッティングされているフレンチレストランでの会食にも同席する、ということで、どうにか決着した。

そんなわけで、「お笑い芸人」と「ボンレスハム」と「お受験ママ」、よろずやプロのメンバー勢揃いで、悦子会長のもとへと向かっているのだ。


江戸ソース直営レストラン、「トロワ・エトワール」の瀟洒な建物の前で、前回同様、江戸ソースの本田社長室長、山城広報室長が、びしっと背筋を伸ばして出迎えてくれた。到着した車の後部座席から、紫色のボンレスハムがいきなり登場して、ふたりともぎょっとしている。「うちの澄川です」と社長が紹介すると、のんのさんは「元セクシーアイドル、いま副社長ですのよ」と自ら暴露して、おじさんふたりをもう一度驚かせていた。

レストランの個室では、これもまた先週とまったく同様、悦子会長を中心に、あけぼのテレビの藤嶋プロデューサー、番通の徳田課長、そして市川ディレクターが、私たちの到着を待っていた。藤嶋さんと徳田さんは、鉄壁社長が「ちょびっ旅」特番の打ち合わせをすっぽかしたのでかなり心証を悪くしているはずだ。それについてはきちんとあやまるつもりだ、と社長は、ここへ来るまえに自分の決心を打ち明けてくれた。

「お前を他の事務所に移籍させてでも、『ちょびっ旅』を復活してくれるように、今日は頼むつもりだ」

そんなことを言ったものの、無理をしているのか、眉毛がひくひく奇妙に動いている。強がっているのがおかしくて噴き出しそうだったが、私は、とにかく黙って社長の言葉を受け止めた。

私たちが個室に入っていくと、悦子会長は静かに立ち上がった。そして、まっすぐな視線を私に向けてきた。私は、悦子会長の目をみつめ返すと、

「戻りました」

ひと言、言った。悦子会長は、口もとに微笑を灯すと、

「おかえりなさい」

ひと言、返した。

悦子会長の右隣で、藤嶋プロデューサーは、（江田会長の要望通りにしてきてくれたんだろうな、おかえり？）と確かめるようなまなざしを私に向けている。「ちょびっ旅」復活は、もはや悦子会長の一存のみに委ねられているのだ。私が「成果物」をちゃんと持参しているのかどうか、気が気じゃないのだろう。左隣の徳田課長は相変わらず

の能面フェイスで、こけしみたいにすとんと立っている。市川さんは、異様に顔色が悪い。事情を知っているだけに、そわそわと落ち着かない。最後の審判を受ける面持ちで、かなり緊張しているのがわかる。

鉄壁社長は、悦子会長に向かって深々と一礼すると、今度は逃げも隠れもしない、という調子で、朗々と言った。

「お待たせいたしました。『成果物』をお届けに上がりました」

悦子会長は、鉄壁社長を見据えてうなずいた。それから、全員着席した。このまえのようにまずはシャンパンで乾杯、というわけにはいかない。すべては旅の「成果物」を見せてからのことだ。

私は、膝の上のトートバッグから藤色の袱紗を取り出して、白いテーブルクロスの上に置いた。それから、悦子会長を正面にみつめると、言った。

「残念ながら、お望み通りの『成果物』を持ち帰れませんでした」

一瞬、空気が張り詰めた。

「……だめだったの？」

孫娘の受験の合否を聞くように、素の表情で悦子会長が訊いた。その様子がなんだかかわいらしくて、私は思わず微笑んだ。

「『空になった袱紗を成果物といたしましょう』。確か、そのようにご依頼を受けました。

……その通りにはできなかったので」

　そう言って、私は、悦子会長のほうへ袱紗を滑らせた。会長は、真っ白なクロスの上に浮かんだ藤色の袱紗に視線を落とした。両手に取ると、ガラス細工に触るように、そうっと袱紗を開いた。

「あ……」

　短い驚きの声が、悦子会長の口から漏れた。その様子は、お墓の前で袱紗を開けたときの真理子さんに、不思議なくらいそっくりだった。

　袱紗は、空ではなかった。

　中にあったのは、一枚の和紙と、もみじのひと葉。

　和紙に書かれていたのは、たったひとりの姪からのメッセージ――。

悦子おばさまへ
旅をなさいませんか。私の母と娘がやすらかに眠る場所へ。
新しい人生を歩み始めた私と、ご一緒に。
真理子

悦子会長は、しばらくのあいだ、真理子さんが作った和紙、あたたかな色合いとやさしい手触りの一筆箋に視線を落としていた。もみじのひと葉に、そっと指先で触れる。震えるまぶたを閉じた瞬間、ひと筋の涙が頰を伝って落ちた。

会長を囲む人々は、何ごとが起こったのかとざわつき、目をみはったが、袱紗の中に手書きのメッセージともみじのひと葉があるのを認めると、悟ったように静まり返った。

それは、きっと、悦子会長が、長いあいだ待ち望んでいた瞬間だった。

母が、自分が、いつかきっともう一度会いたいと願っていた、幼い妹。その妹の忘れ形見。せつない思いが、ようやくつながった瞬間だった。

ハンカチで目頭を押さえ、悦子会長が言った。

「あなたは、ほんとうにもう、いったい何をしでかすのやら。旅人『おかえり』は、いつもこんな調子なのかしら？」

うるんだ声で「はい……」と答えようとすると、

「こいつはいつも、この調子なんで。待ってるほうはちっとも気が休まりませんや。ったく、心配ばっかりかけやがって」

横から社長が口をはさんだ。完全に、涙声だ。すると、のんのさんが、「そうそう、そうなんですのよ」とあわててフォローした。

「望み通りの成果物を持って帰ってくるかどうか、そりゃもう、はらはら、どきどきですの。周りをこんなに巻きこむ旅人ってどうなの？　って思いますわ。でもねえ、あれですのよ、この子ったら、旅して帰ってきて、いっつもあたしたちを……」

泣かせますのよ、と言ったとたん、のんのさんの目にも涙があふれた。そして、とうとう、もうがまんできない、という感じで、市川さんが言い放った。

「そうです。おかえりは、日本一の旅人です。最っ高の『旅屋』です！」

次の瞬間、悦子会長を囲むおじさんたちの顔に、笑みが浮かんだ。

本田さんと山城さんは、たまらずに笑い出した。藤嶋さんは、困ったもんだね、と苦笑している。徳田さんまでが、完全に能面フェイスを崩して、見たこともないような笑顔に変わった。みんなの笑いにつられて、悦子会長も笑った。鉄壁社長も、のんのさんも、市川さんも笑った。テーブルの周りは、いつしか笑顔でいっぱいになった。

私が旅から帰ってくるのを待っていてくれた人たちの、輝く笑顔。

そうだ。私は、この笑顔に会いたくて、旅をしているんだ。この笑顔が待っていてくれるからこそ、旅に出られるんだ。

旅をして、よかった。帰ってきて、この笑顔に会えてよかった。

悦子会長は、笑顔のままで、社長と私を交互にみつめながら言った。

「想像以上の『成果物』を届けてくださったお礼に……あけぼのテレビさんと番通さんがいらっしゃるこの席で、宣言しておきましょう」

藤嶋さんと徳田さん、それに市川さんは、姿勢を正して悦子会長のほうを向いた。悦子会長は、東証一部上場企業の会長の顔に戻ると、おごそかに告げた。

「当社は、今後、『ちょびっ旅』の復活を全面的に支援し、スポンサーとなることを約束します」

鉄壁社長、のんのさん、市川さんが、同時に飛び上がりそうな気配を見せた。が、私はすぐに、きっぱりと返したのだった。

「ありがとうございます。けれど、辞退させていただきます」

私の言葉に、全員が、一瞬で固まった。まったく意味がわからなかったのだろう、誰もが言葉を失っている。思わず、くすっと笑ってしまった。

「だって私、『タレントおかえり』じゃなくて、『旅屋おかえり』なんだもの。私に『旅してほしい』と望む誰かがいてくれる限り、この仕事を続けたいんです」

すみません、と私は頭を下げた。全員、やっぱり声も出せない。最初に声を出したのは、悦子会長だった。

「じゃあ、これからも続けるのね？　『旅屋』を」

とっておきの冒険が始まるまえのような声だった。はい、と私は気持ちよく答えた。

「続けます。『旅屋』を」

それから、どれほど大騒ぎになったたか。

藤嶋さんと徳田さんからは、せっかくの会長の申し出なのに、正気か!?　と嵐のブーイング。市川さんは、手を叩いて、すげえ、すげえの連発。会長の御前であることなど、すっかり忘れている様子。

本田さんと山城さんからは、いつでも撤回していただいて結構ですよ、もう予算組んでありますから、と寛大なお言葉。それでまた、藤嶋さんと徳田さんの大ブーイング。のんのさんは、「あんたって、ほんっとに馬鹿ねえ」と特大のため息。それから、「どうせ番組復活したってギャラ安いんだから」と耳打ち。しまいには「世界中で旅代理人をやってんのはうちだけですもの」と胸を張る。

悦子会長は、さも愉快そうに「じゃあ、もう一度旅の依頼をしてもいいかしら？」。今度は内子と檮原へおかえりさんと一緒に行きたいわ、お忍びで、と。「あなたもご一緒にいかが？」と鉄壁社長にも持ちかけた。

その社長はといえば、ひたすらあきれるばかりで。

ほんとにお前はどうしようもねえなあ、また旅をするってのか？

まあいいや、しょうがねえ。じゃあ、もうちょっと付き合ってやるか。

たまには、おれも連れ出してくれよ。

すかっと胸のすく旅、じんわり心が熱くなる旅へと。

さわやかな風の吹き渡る、なつかしい風景の彼方へと。

お前と一緒に、どこへでも行く。どこまでも。


気がつくと、今日もまた旅をしている。

旅先には、きっと誰かが待っている。そして、帰ってくれば、おかえり、のひと言が待っている。それが、何より嬉しくて。

だから、今日もまた、旅をしている。

明日も、その次の日も、きっと旅をしている。

しょうがねえなあ、と社長が笑う。経費節減よ、とのんのさんが文句を言う。

で、今度はどこへ行くの？　とみんなが訊く。

行き先は、わからない。でも、大丈夫。ちゃんと帰ってくる。誰かの「おかえり」を聞くために。


もしもし、母さん？　私。

うん、元気よ。元気に、旅してる。実はいまも、旅の空の下。なんだか急に、母さんの声が聞きたくなって。

そっちは、そろそろ雪解けだよね？　春になって、夏がくれば、島いっぱいに花が咲くんだなあ。いつも、思い出すよ。「名もない丘」を埋め尽くしてた、タカネナデシコの花。

ねえ母さん。私、タレントとしては、花開かなかったけど。「大きくなって帰ってこい」って言ってくれた、父さんとの約束、守れなかったけど。

一歩ずつ、一歩ずつ。旅するごとに、近づいているような気がするの。なつかしい、ふるさとへ。

ねえ母さん。今度、ナデシコが咲く頃に——私、帰ってもいいかな？

# 解説

吉田伸子

旅屋――なんて素敵な言葉なのだろう。タイトルのこの言葉だけで、読み手はすうっと物語へと誘われる。旅屋って？　そして、おかえりって？　と、読み始める前からわくわくしてしまう。

おかえり、の意味は冒頭ですぐに明かされる。本書の主人公の芸名が「丘えりか」なのだ。略して「おかえり」。三十を二つほど過ぎたタレントだ。ごく短期間「アイドル」と呼ばれたこともある。旅とご当地グルメがテーマの旅番組をレギュラーで持っているものの、仕事はその「ちょびっ旅」一本きり。タレントはタレントでも、上につく形容詞は「売れない」だ。

所属する「よろずやプロ」は、社長の萬鉄壁と、元セクシーアイドルで経理担当副社長の澄川のんのが二人で切り盛りする弱小プロダクション。彼女の他に、所属するタレントはいない。「ちょびっ旅」はタレントおかえりにとってのみならず、「よろずやプロ」にとっての命綱でもある。

時には、青森への日帰りロケという、低予算故のハードスケジュールに泣き言を漏らしたりもするけれど、そんな時は萬に一喝されてお終《しま》い。北海道の礼文島の高校生だった彼女に偶然目を留め、スカウト、以来「十八、九のときにぼんやり売れて、あとは鳴かず飛ばず」の彼女を、それでも見放すことなく面倒を見続け、五年前には「ちょびっ旅」に押し込んでくれたのが萬なのだ。萬とおかえりには、所属プロダクションの社長とタレント以上の、親子のような絆が出来ていた。

「ちょびっ旅」は、スケジュール的にはハードな時もあるけれど、そもそも旅が好きで、食べることが好きなおかえりにとっては天職のようなものでもあった。番組が五年も続いているのは、奇跡のようなことではあったが、その奇跡はこれからも続いていくはずだった。おかえりが番組で、スポンサーである「江戸ソース」を間違えて、ライバル社の「エゾソース」と連呼してしまうまでは……。

おかえりの致命的なミスにより「ちょびっ旅」は、打ち切りの憂き目に。そんなおかえりの折れた心を震わせてくれたのは、視聴者からの、一通の励ましの手紙だった。ところが、その手紙に感激したあまり、おかえりは電車に「全財産の入ったバッグ」を置き忘れて来てしまう。泣きっ面に蜂、とばかりの展開に、しおしおと事務所に来た彼女を待っていたのは、テレビの仕事のオファーではなく、ヌード写真集の企画。それでも、背に腹は替えられない、と腹を括ったおかえりだったが、萬はそんなおかえりに言う。

「お前の気持ち、大事にとっとくからな」と。

この、バッグ置き忘れが、やがて不思議な縁を連れてくる。数日後、鵜野と名乗る女性が「よろずやプロ」を訪れる。彼女が手にしていたのは、おかえりが電車内に忘れたバッグだった。娘ともども「ちょびっ旅」の、そしておかえりのファンだったという鵜野夫人は、ある頼み事を口にする。「旅をしていただけませんでしょうか。わたくしの娘の代わりに」と。

華道「鵜野流」の四代目家元である鵜野華伝は、娘を次期家元として教育してきた。その娘が、ある日突然、病に倒れてしまう。ありとあらゆる名医にかけあい、可能性のある治療は全て試してみたものの、病は篤《あつ》く、やがて「鋏どころか花一輪も握れなくなってしまう」娘と向き合うことが辛すぎて、仕事へ逃げ込むように。そんな夫とたびたびぶつかっていた夫人は、その日も夫といさかって、腹立ち紛れに「鵜野華道館」を飛び出し、地下鉄に乗ったところ、夫人の正面に座っていたのがおかえりだったのだ。

全身の筋肉が次第に萎縮していくＡＬＳを発症した娘・真与は、奇しくもおかえりと同い年。去年の入院以来、外へ出かけることはおろか、自力で歩くことも座ることも出来なくなっていた。鵜野夫人はそんな娘の代わりに、旅に出て欲しい、とおかえりに依頼する。それは同時に、病状がこれ以上進んだら、人工呼吸器をつけずにそのまま命を終わらせて欲しいと願う娘に、生きる望みを与えて欲しい――人工呼吸器をつけて、一日でも命をつなぐことへ、前向きになって欲しい——ということでもあった。

これが、おかえりの旅屋としてのスタートだった。物語はここから、おかえりが真与の代わりに、秋田の角館にしだれ桜を見に行った顛末が描かれている。晴れ女として定評があったおかえりなのに、初日から雨どころか雪に見舞われてしまう、というアクシデントや、予定を変えて、急遽初日のメインイベントにした秘湯・玉肌温泉での出来事は、さらには、その旅の成果は、実際に本書を読まれたい。

玉肌温泉の三代目湯守である大志は言う。

「無意味な旅なんて、ねえべさ」と。

「毎日、この宿で、いろんなところから、いろんな目的でくる旅人に会ってるス。無目的な人も多い。何しとるのかわからね人も。んだども、みんな必ずなんがどごみつけて帰っていかっしゃります」

この大志の言葉は、作者のマハさんの言葉でもある。そこにあるのは、「フーテンのマハ」を自称するほどの、おかえり同様に旅好きのマハさんの、旅に対する信頼だ。それがあるからこそ、おかえりの旅が、きらきらと輝くのだ。

角館への旅の映像の最後に、おかえりはカメラのレンズ越しに、真与へと語りかける。今回の旅で、「いってらっしゃい」と送り出してくれて、「おかえり」と迎えてくれる誰かがいるから、旅は完結するのだと気づいたこと。今回はその誰か、が真与さんだったこと。だから、今度は、自分が真与さんに、「いってらっしゃい」と「おかえり」を言ってあげたい、ということ。

「私は今日、旅をしました。あなたがもう一度旅立つ日のために」

　おかえりのこの言葉に、胸が熱く、熱くなる。この言葉に込められたおかえりの想い。そして、それを受け止めた真与の想い。その二つが太いうねりとなって、胸を揺さぶる。

　この角館への旅を皮切りに、旅屋の仕事はゆっくりと、けれど着実に増えていく。そして、二十件めの依頼を無事完了させて、行きつけのラーメン屋で打ち上げをしていた萬とおかえりのもとへ、かつて「ちょびっ旅」で一緒に仕事をしていたディレクターの市川が現れ、思いもかけないことを口にする。「もう一回、やってみないか。『ちょびっ旅』」

　それは、おかえりの失言で、スポンサーを降りた江戸ソースの会長直々に下された、旅屋へのオーダーだった。そのオーダーを遂行すれば、江戸ソースがスポンサーとして、再び「ちょびっ旅」を復活させてくれる、というのだ。会長からおかえりに渡されたのは、一つの袱紗。親戚関係が途切れ、音信不通となっている会長の姪を探し出し、姪とともに、妹の墓参りをして来て欲しい。その際に、袱紗に包まれたある物を、妹の墓前に供えて欲しい、と。

　渡りに舟、かと思えるようなオーダーだったが、何故か萬は暗い顔。会長が探し出して欲しいと依頼した姪とは、かつてのアイドル天川真理であり、萬の妻でもあった国沢真理子だった。萬と真理子の間に何があったのか、そして、一度は途切れた会長と真理子との縁を、おかえりはつなぐことが出来るのか――。

鵜野夫人からのオーダーも、江戸ソース会長からのオーダーも、旅の真ん中にあったのは、家族の絆だ。一度はほぐれてばらばらになったその縁《えにし》を、おかえりが旅を通じて、再び結び直す。その様がいい。物語を通じて浮かび上がってくるのは、「おかえりなさい」という言葉だ。迷子になった人生から、絶望の淵から。そして、一度は手放してしまった、かけがえのないことどもたちを、再び取り戻した時の「おかえりなさい」。

私たちは何度でも旅に出られる。そして、何度でも帰って来られる。何度でも、失敗出来る。そして、何度でもやり直せる。遅すぎる、ということはないのだ。旅にも、人生にも。そんなマハさんのメッセージが、物語を太く、確かに、貫いている。

本書を読んで、旅に出たいと思った人は幸せだ。何故なら、あなたには、旅に出ようと思える気持ちと身体があるからだ。そして、本書を読んで、おかえりに自分の代わりに旅をして欲しいと思った人、あなたもまた、幸せだ。何故なら、あなたには、旅への〝想い〟があるからだ。そして、まだ旅に出ていないあなた。あなたには、本書が、ある。良き旅立ちが出来ますように、全ての旅人と旅人予備軍に、乾杯！

（よしだ・のぶこ　書評家）

この作品は二〇一二年四月、集英社より刊行されました。
初出　集英社　WEB　文芸「レンザブロー」（二〇〇九年九月〜二〇一〇年一二月）

## 集英社文庫　目録（日本文学）

林真理子　東京デザート物語
林真理子　葡萄物語
林真理子　死ぬほど好き
林真理子　白蓮れんれん
林真理子　年下の女友だち
林真理子　グラビアの夜
林田慎之助　諸葛孔明
林田慎之助　人間三国志　覇者の条件
早見和真　ひゃくはち
原宏一　ムボガ
原宏一　かつどん協議会
原宏一　極楽カンパニー
原宏一　シャイン！
原民喜　夏の花
原田ひ香　東京ロンダリング
原田マハ　旅屋おかえり
原田宗典　優しくって少しばか
原田宗典　スバラ式世界
原田宗典　しょうがない人
原田宗典　日常ええかい話
原田宗典　むむむの日々
原田宗典　元祖スバラ式世界
原田宗典　できそこないの出来事
原田宗典　十七歳だった！
原田宗典　本家スバラ式世界
原田宗典　平成トム・ソーヤー
原田宗典　貴方には買えないもの名鑑
原田宗典　大サービス
原田宗典　すんごくスバラ式世界
原田宗典　幸福らしきもの
原田宗典　少年のオキテ
原田宗典　笑ってる場合
原田宗典　はらだしき村
原田宗典　大変結構、結構大変。ハラダ九州温泉三昧の旅
原田宗典　吾輩ハ作者デアル
原田宗典　私を変えた一言
原田康子　星の岬㊤㊦
原山建郎　からだのメッセージを聴く
春江一也　プラハの春㊤㊦
春江一也　ベルリンの秋㊤㊦
春江一也　カリナン
春江一也　ウィーンの冬㊤㊦
春江一也　上海クライシス㊤㊦
坂東眞砂子　桜雨
坂東眞砂子　屍の聲（かばねのこえ）
坂東眞砂子　ラ・ヴィタ・イタリアーナ
坂東眞砂子　曼《まん》荼《だ》羅《ら》道《どう》
坂東眞砂子　快楽の封筒

集英社文庫

旅屋《たびや》おかえり

2014年9月25日　第1刷　　定価はカバーに表示してあります。

著　者　原田《はらだ》マハ
発行者　加藤　潤
発行所　株式会社　集英社
東京都千代田区一ツ橋2-5-10　〒101-8050
電話　【編集部】03-3230-6095
【読者係】03-3230-6080
【販売部】03-3230-6393（書店専用）

印　刷　大日本印刷株式会社
製　本　大日本印刷株式会社

フォーマットデザイン　アリヤマデザインストア　　マークデザイン　居山浩二


ISBN978-4-08-745225-9 C0193